교과서 개념이 쑥쑥! GO!

GO! 매쓰

GO!

Run-A

교과서 사고력

수학 6-2

GO!매쓰 Run · 구성과 특징

1주차 교과 집중 학습

1 교과서 개념 완성

재미있는 수학 이야기로 단원에 대한 흥미를 높이고, 교과서 개념과 기본 문제를 학습합니다.

2 교과서 개념 PLAY

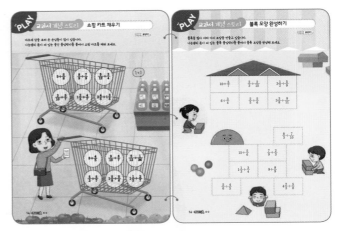

게임으로 개념을 학습하면서 집중력을 높여 쉽게 개념을 익히고 기본을 탄탄하게 만듭니다.

3 문제 풀이로 실력 & 자신감 UP!

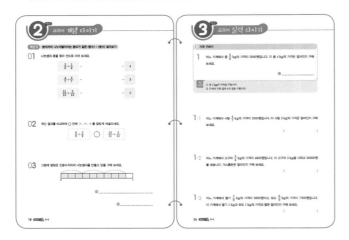

한 단계 더 나아간 교과서와 익힘 문제로 개념을 완성하고, 다양한 문제 유형으로 응용력을 키웁니다.

4 서술형 문제 풀이

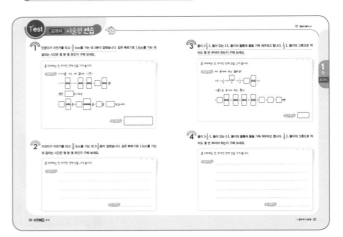

시험에 잘 나오는 서술형 문제 중심으로 단계별로 풀이하는 연습을 하여 서술하는 힘을 높여 줍니다.

2 ^{주차} 사고력 확장 학습

1 사고력 PLAY

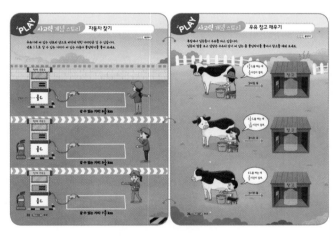

교과 심화 문제와 사고력 문제를 게임으로 쉽게 접근하여 어려운 문제에 대한 거부감을 낮추고 집중력을 높입니다.

2 교과 사고력 잡기

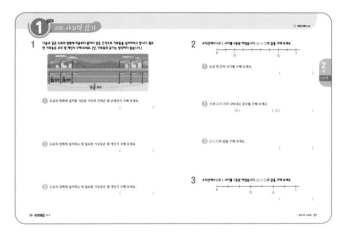

문제에 필요한 요소를 찾아 단계별로 해결하면서 문제 해결력을 키울 수 있는 힘을 기릅니다.

3 교과 사고력 확장+완성

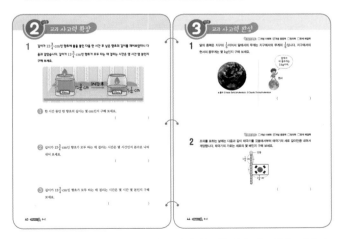

틀에서 벗어난 생각을 하여 문제를 해결하는 창의적 사고력을 기를 수 있는 힘을 기릅니다.

4 종합평가 / 특강

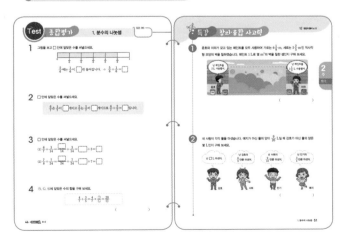

교과 학습과 사고력 학습을 얼마나 잘 이해하였는지 평가하여 배운 내용을 정리합니다.

1 분수의 나눗셈

단원과 관련된 분수 이야기를 살펴보아요.

똑같이 나누기

동호네 모둠 학생들이 학교 축제 때 직접 갈아서 만든 딸기 주스를 팔려고 합니다. 딸기를 열심히 갈아서 딸기 주스를 만들었더니 $\frac{4}{5}$ L가 되었습니다. 딸기 주스를 한 컵에 $\frac{1}{5}$ L씩 담아서 판다면 몇 컵까지 팔 수 있는지 알아볼까요?

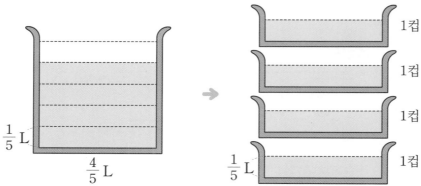

딸기 주스 $\frac{4}{5}$ L를 그림에 나타내어 보면 왼쪽 그림과 같습니다. $\frac{4}{5}$는 $\frac{1}{5}$이 4개이고, $\frac{4}{5}$에서 $\frac{1}{5}$을 4번 덜어 낼 수 있습니다. 딸기 주스 $\frac{4}{5}$ L를 한 컵에 $\frac{1}{5}$ L씩 담아서 판다면 4컵까지 팔 수 있습니다. 따라서 $\frac{4}{5} \div \frac{1}{5} = 4$임을 알 수 있습니다.

음료수를 컵에 똑같이 나누어 담았을 때 컵의 수로 알맞은 것끼리 선으로 이어 보세요.

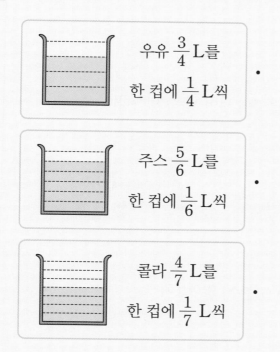

설탕 $\frac{5}{7}$ kg을 설탕 $\frac{2}{7}$ kg을 넣으면 가득 차는 통에 나누어 담으면 몇 통이 되는지 알아보려고 합니다. □ 안에 알맞은 수를 써넣으세요.

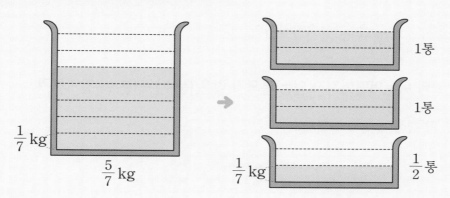

설탕 $\frac{5}{7}$ kg을 그림에 나타내어 보면 왼쪽 그림과 같습니다. $\frac{5}{7}$ 를 $\frac{2}{7}$ 크기의 통에 나누어 담으면 □통과 $\frac{1}{2}$ 통만큼 채울 수 있습니다. 설탕 $\frac{2}{7}$ kg을 넣으면 가득 차는 통에 설탕 $\frac{5}{7}$ kg을 나누어 담으면 □$\frac{1}{2}$ 통이 됩니다.

따라서 $\frac{5}{7} \div \frac{2}{7} =$ □$\dfrac{\square}{\square}$ 임을 알 수 있습니다.

개념 1 분모가 같은 (분수)÷(단위분수) 알아보기

· $\dfrac{3}{4} \div \dfrac{1}{4}$의 계산

$\dfrac{3}{4}$은 $\dfrac{1}{4}$이 3개입니다.

$\dfrac{3}{4} - \dfrac{1}{4} - \dfrac{1}{4} - \dfrac{1}{4} = 0$

$\dfrac{3}{4}$에서 $\dfrac{1}{4}$을 3번 덜어 낼 수 있습니다.

$\Rightarrow \dfrac{3}{4} \div \dfrac{1}{4} = 3$ → 나누어지는 수에서 나누는 수를 덜어 낼 수 있는 횟수

$\dfrac{3}{4}$은 $\dfrac{1}{4}$이 3개입니다.

$\dfrac{1}{4}$은 $\dfrac{1}{4}$이 1개입니다.

→ 단위분수의 개수로 나누기

$\Rightarrow \dfrac{3}{4} \div \dfrac{1}{4} = 3 \div 1 = 3$ ┌ 몫은 항상 자연수입니다.
└ (몫)=(나누어지는 수의 분자)

개념 2 분자끼리 나누어떨어지는 분모가 같은 (분수)÷(분수) 알아보기

· $\dfrac{6}{7} \div \dfrac{3}{7}$의 계산

→ $\dfrac{6}{7}$은 $\dfrac{3}{7}$이 2개입니다.

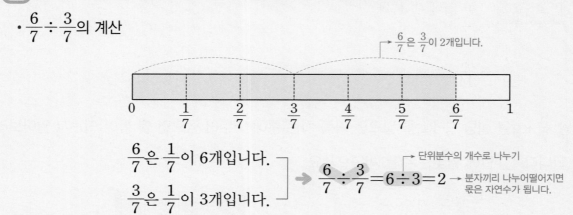

$\dfrac{6}{7}$은 $\dfrac{1}{7}$이 6개입니다.

$\dfrac{3}{7}$은 $\dfrac{1}{7}$이 3개입니다.

→ 단위분수의 개수로 나누기

$\Rightarrow \dfrac{6}{7} \div \dfrac{3}{7} = 6 \div 3 = 2$ → 분자끼리 나누어떨어지면 몫은 자연수가 됩니다.

개념 3 분자끼리 나누어떨어지지 않는 분모가 같은 (분수)÷(분수) 알아보기

· $\dfrac{7}{9} \div \dfrac{2}{9}$의 계산

$7 \div 2$

$\dfrac{7}{9} \div \dfrac{2}{9}$

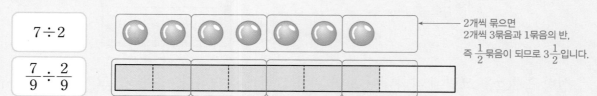

← 2개씩 묶으면 2개씩 3묶음과 1묶음의 반, 즉 $\dfrac{1}{2}$묶음이 되므로 $3\dfrac{1}{2}$입니다.

$\dfrac{7}{9}$은 $\dfrac{1}{9}$이 7개이고 $\dfrac{2}{9}$는 $\dfrac{1}{9}$이 2개이므로 7을 2로 나누는 것과 같습니다.

$\Rightarrow \dfrac{7}{9} \div \dfrac{2}{9} = 7 \div 2 = \dfrac{7}{2} = 3\dfrac{1}{2}$ → 분자끼리 나누어떨어지지 않으면 몫은 분수가 됩니다.

> 분모가 같은 분수끼리의 나눗셈은 **분자끼리의 나눗셈과 같습니다.**

개념 확인 문제

1 □ 안에 알맞은 수를 써넣으세요.

$\frac{4}{5} \div \frac{1}{5}$에서 $\frac{4}{5}$는 $\frac{1}{5}$이 □개이므로 $\frac{4}{5}$에서 $\frac{1}{5}$을 □번 덜어 낼 수 있습니다.

➡ $\frac{4}{5} \div \frac{1}{5} = \Box$

2 □ 안에 알맞은 수를 써넣으세요.

(1) $\frac{9}{11}$는 $\frac{1}{11}$이 □개입니다.

$\frac{3}{11}$은 $\frac{1}{11}$이 □개입니다.

➡ $\frac{9}{11} \div \frac{3}{11} = \Box$

(2) $\frac{14}{15}$는 $\frac{1}{15}$이 □개입니다.

$\frac{2}{15}$는 $\frac{1}{15}$이 □개입니다.

➡ $\frac{14}{15} \div \frac{2}{15} = \Box$

3-1 □ 안에 알맞은 수를 써넣으세요.

(1) $\frac{12}{13} \div \frac{5}{13} = \Box \div \Box = \frac{\Box}{\Box} = \Box\frac{\Box}{\Box}$

(2) $\frac{17}{21} \div \frac{13}{21} = \Box \div \Box = \frac{\Box}{\Box} = \Box\frac{\Box}{\Box}$

3-2 계산해 보세요.

(1) $\frac{3}{8} \div \frac{7}{8}$

(2) $\frac{5}{9} \div \frac{8}{9}$

(3) $\frac{10}{11} \div \frac{3}{11}$

(4) $\frac{14}{17} \div \frac{9}{17}$

개념 4 분자끼리 나누어떨어지는 분모가 다른 (분수)÷(분수) 알아보기

- $\dfrac{3}{4} \div \dfrac{3}{8}$의 계산

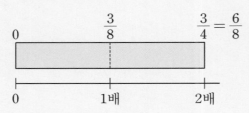

$\dfrac{3}{4}$은 $\dfrac{6}{8}$과 같습니다.

$\dfrac{6}{8}$은 $\dfrac{3}{8}$이 2개이므로 $\dfrac{3}{4} \div \dfrac{3}{8} = 2$입니다.

$$\dfrac{3}{4} \div \dfrac{3}{8} = \dfrac{6}{8} \div \dfrac{3}{8} = 6 \div 3 = 2$$

분모를 같게   분자끼리   분자끼리 나누어떨어지면
통분합니다.   나눕니다.   몫은 자연수가 됩니다.

분모를 같게 통분하면 분모가 같은 (분수)÷(분수)와 같은 방법으로 계산할 수 있습니다.

개념 5 분자끼리 나누어떨어지지 않는 분모가 다른 (분수)÷(분수) 알아보기

- $\dfrac{5}{6} \div \dfrac{2}{9}$의 계산

$\dfrac{5}{6} \div \dfrac{2}{9} = \dfrac{15}{18} \div \dfrac{4}{18}$ … 분모를 같게 통분합니다. → 분모의 최소공배수로 통분하는 것이 편리합니다.

$= 15 \div 4$ … 분자끼리 나눕니다. → 분모가 같은 (분수)÷(분수)의 계산과 같습니다.

$= \dfrac{15}{4} = 3\dfrac{3}{4}$ … 몫을 분수로 나타냅니다.

분모가 다른 (분수)÷(분수)의 계산

분모를 같게 통분합니다. ➡ **분자끼리의 나눗셈**을 계산합니다.

참고

- $\dfrac{5}{6}$와 $\dfrac{2}{9}$를 통분하기

  방법1 두 분모의 곱을 공통분모로 하여 통분하기

  $$\left(\dfrac{5}{6}, \dfrac{2}{9} \right) = \left(\dfrac{5 \times 9}{6 \times 9}, \dfrac{2 \times 6}{9 \times 6} \right) \rightarrow \left(\dfrac{45}{54}, \dfrac{12}{54} \right)$$

  방법2 두 분모의 최소공배수를 공통분모로 하여 통분하기

  6과 9의 최소공배수: 18

  $$\left(\dfrac{5}{6}, \dfrac{2}{9} \right) = \left(\dfrac{5 \times 3}{6 \times 3}, \dfrac{2 \times 2}{9 \times 2} \right) \rightarrow \left(\dfrac{15}{18}, \dfrac{4}{18} \right)$$

개념 확인 **문제**

4-1 그림을 보고 □ 안에 알맞은 수를 써넣으세요.

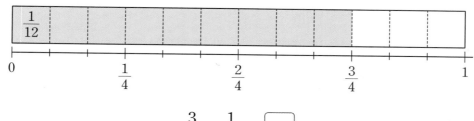

$$\frac{3}{4} \div \frac{1}{12} = \boxed{}$$

4-2 □ 안에 알맞은 수를 써넣으세요.

(1) $\dfrac{2}{3} \div \dfrac{2}{21} = \dfrac{\boxed{}}{21} \div \dfrac{2}{21} = \boxed{} \div 2 = \boxed{}$

(2) $\dfrac{8}{9} \div \dfrac{4}{27} = \dfrac{\boxed{}}{27} \div \dfrac{4}{27} = \boxed{} \div 4 = \boxed{}$

5-1 보기 와 같이 계산해 보세요.

> 보기
>
> $$\frac{2}{3} \div \frac{3}{5} = \frac{10}{15} \div \frac{9}{15} = 10 \div 9 = \frac{10}{9} = 1\frac{1}{9}$$

$$\frac{8}{9} \div \frac{5}{7} = \underline{\hspace{8cm}}$$

5-2 계산해 보세요.

(1) $\dfrac{4}{7} \div \dfrac{3}{4}$

(2) $\dfrac{3}{5} \div \dfrac{5}{8}$

(3) $\dfrac{7}{8} \div \dfrac{5}{6}$

(4) $\dfrac{9}{14} \div \dfrac{5}{12}$

개념 6 (자연수)÷(분수) 알아보기

• 막대 $\frac{3}{4}$ m의 무게가 6 kg일 때 막대 1 m의 무게 구하기

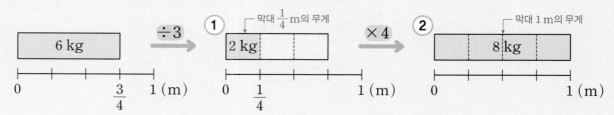

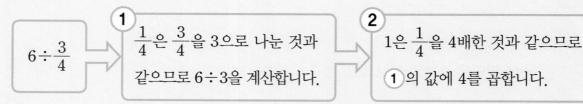

$$6 \div \frac{3}{4} = (6 \div 3) \times 4 = 2 \times 4 = 8$$

↗ 자연수를 분수의 분자로 나눕니다.

↘ 분수의 분모를 곱합니다.

$$\bullet \div \frac{\blacktriangle}{\blacksquare} = (\bullet \div \blacktriangle) \times \blacksquare$$

개념 7 (분수)÷(분수)를 (분수)×(분수)로 나타내기

• 통의 $\frac{2}{3}$를 채운 소금의 무게가 $\frac{3}{5}$ kg일 때 한 통을 가득 채운 소금의 무게 구하기

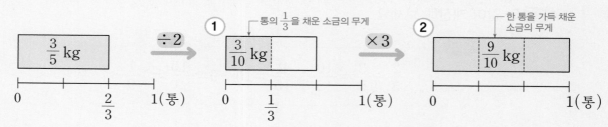

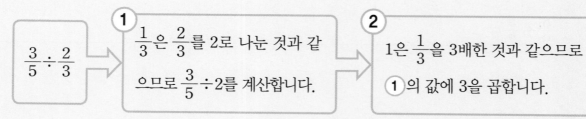

나눗셈을 곱셈으로 바꿉니다.

$$\frac{3}{5} \div \frac{2}{3} = \frac{3}{5} \div 2 \times 3 = \frac{3}{5} \times \frac{1}{2} \times 3 = \frac{3}{5} \times \frac{3}{2} = \frac{9}{10}$$

나누는 분수의 분모와 분자를 바꾸어 계산합니다.

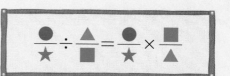

개념 확인 문제

6-1 □ 안에 알맞은 수를 써넣으세요.

(1) $9 \div \dfrac{3}{5} = (9 \div \boxed{}) \times \boxed{} = \boxed{}$

(2) $10 \div \dfrac{2}{7} = (10 \div \boxed{}) \times \boxed{} = \boxed{}$

6-2 계산해 보세요.

(1) $5 \div \dfrac{5}{6}$

(2) $6 \div \dfrac{2}{3}$

(3) $8 \div \dfrac{2}{7}$

(4) $24 \div \dfrac{8}{9}$

7-1 □ 안에 알맞은 수를 써넣어 나눗셈식을 곱셈식으로 나타내어 보세요.

(1) $\dfrac{5}{7} \div \dfrac{3}{5} = \dfrac{5}{7} \div \boxed{} \times \boxed{} = \dfrac{5}{7} \times \dfrac{1}{\boxed{}} \times \boxed{} = \dfrac{5}{7} \times \dfrac{\boxed{}}{\boxed{}}$

(2) $\dfrac{5}{6} \div \dfrac{4}{7} = \dfrac{5}{6} \div \boxed{} \times \boxed{} = \dfrac{5}{6} \times \dfrac{1}{\boxed{}} \times \boxed{} = \dfrac{5}{6} \times \dfrac{\boxed{}}{\boxed{}}$

7-2 나눗셈식을 곱셈식으로 나타내어 계산해 보세요.

(1) $\dfrac{2}{5} \div \dfrac{3}{4}$

(2) $\dfrac{4}{7} \div \dfrac{7}{8}$

(3) $\dfrac{7}{9} \div \dfrac{4}{5}$

(4) $\dfrac{7}{10} \div \dfrac{8}{9}$

개념 8 (자연수)÷(분수) 계산하기

· $3 \div \dfrac{4}{5}$ 의 계산

방법 분수의 곱셈으로 나타내어 계산하기

$$3 \div \dfrac{4}{5} = 3 \times \dfrac{5}{4} = \dfrac{15}{4} = 3\dfrac{3}{4}$$

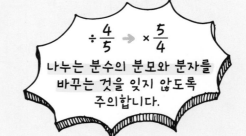

$\div \dfrac{4}{5} \;\Rightarrow\; \times \dfrac{5}{4}$

나누는 분수의 분모와 분자를 바꾸는 것을 잊지 않도록 주의합니다.

개념 9 (가분수)÷(분수) 계산하기

· $\dfrac{10}{7} \div \dfrac{2}{3}$ 의 계산

방법1 통분하여 분자끼리 나누기

$$\dfrac{10}{7} \div \dfrac{2}{3} = \dfrac{30}{21} \div \dfrac{14}{21} = 30 \div 14 = \dfrac{\overset{15}{\cancel{30}}}{\underset{7}{\cancel{14}}} = \dfrac{15}{7} = 2\dfrac{1}{7}$$

방법2 분수의 곱셈으로 나타내어 계산하기

$$\dfrac{10}{7} \div \dfrac{2}{3} = \dfrac{\overset{5}{\cancel{10}}}{7} \times \dfrac{3}{\underset{1}{\cancel{2}}} = \dfrac{15}{7} = 2\dfrac{1}{7}$$

개념 10 (대분수)÷(분수) 계산하기

· $2\dfrac{1}{3} \div \dfrac{5}{6}$ 의 계산

(대분수)÷(분수)를 계산할 때에는 대분수를 가분수로 나타내어 계산합니다.

방법1 통분하여 분자끼리 나누기

$$2\dfrac{1}{3} \div \dfrac{5}{6} = \dfrac{7}{3} \div \dfrac{5}{6} = \dfrac{14}{6} \div \dfrac{5}{6} = 14 \div 5 = \dfrac{14}{5} = 2\dfrac{4}{5}$$

방법2 분수의 곱셈으로 나타내어 계산하기

$$2\dfrac{1}{3} \div \dfrac{5}{6} = \dfrac{7}{3} \div \dfrac{5}{6} = \dfrac{7}{\underset{1}{\cancel{3}}} \times \dfrac{\overset{2}{\cancel{6}}}{5} = \dfrac{14}{5} = 2\dfrac{4}{5}$$

참고

· 분수의 나눗셈 결과가 맞는지 확인해 보는 방법

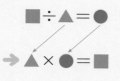

■ ÷ ▲ = ●

➡ ▲ × ● = ■

나누는 수와 계산 결과를 곱했을 때 나누어지는 수가 나오면 계산이 맞는 것입니다.

$$2\dfrac{1}{3} \div \dfrac{5}{6} = \dfrac{14}{5}$$

$$\Rightarrow \dfrac{\overset{1}{\cancel{5}}}{\underset{3}{\cancel{6}}} \times \dfrac{\overset{7}{\cancel{14}}}{\underset{1}{\cancel{5}}} = \dfrac{7}{3} = 2\dfrac{1}{3}$$

개념 확인 문제

8 □ 안에 알맞은 수를 써넣으세요.

(1) $4 \div \dfrac{3}{5} = 4 \times \dfrac{\square}{\square} = \dfrac{\square}{\square} = \square\dfrac{\square}{\square}$

(2) $6 \div \dfrac{5}{12} = 6 \times \dfrac{\square}{\square} = \dfrac{\square}{\square} = \square\dfrac{\square}{\square}$

9 $\dfrac{7}{4} \div \dfrac{2}{3}$ 를 두 가지 방법으로 계산하려고 합니다. □ 안에 알맞은 수를 써넣으세요.

방법1 $\dfrac{7}{4} \div \dfrac{2}{3} = \dfrac{\square}{12} \div \dfrac{\square}{12} = \square \div \square = \dfrac{\square}{\square} = \square\dfrac{\square}{\square}$

방법2 $\dfrac{7}{4} \div \dfrac{2}{3} = \dfrac{7}{4} \times \dfrac{\square}{\square} = \dfrac{\square}{\square} = \square\dfrac{\square}{\square}$

10-1 보기 와 같이 계산해 보세요.

> 보기
>
> $1\dfrac{1}{4} \div \dfrac{2}{5} = \dfrac{5}{4} \div \dfrac{2}{5} = \dfrac{5}{4} \times \dfrac{5}{2} = \dfrac{25}{8} = 3\dfrac{1}{8}$

$1\dfrac{4}{5} \div \dfrac{4}{7} = $ _____

10-2 계산해 보세요.

(1) $1\dfrac{3}{5} \div \dfrac{3}{4}$

(2) $2\dfrac{2}{3} \div \dfrac{3}{5}$

(3) $1\dfrac{5}{9} \div \dfrac{5}{6}$

(4) $2\dfrac{4}{5} \div \dfrac{2}{9}$

준비물 붙임딱지

마트에 장을 보러 온 손님들이 많이 있습니다.
나눗셈의 몫이 써 있는 물건 붙임딱지를 붙여서 쇼핑 카트를 채워 보세요.

$$5 \div \frac{5}{8}$$

$$\frac{8}{9} \div \frac{7}{9}$$

$$\frac{5}{12} \div \frac{3}{4}$$

$$\frac{3}{10} \div \frac{5}{7}$$

$$1\frac{2}{3} \div \frac{4}{7}$$

$$2\frac{4}{5} \div 1\frac{3}{5}$$

1+1

$$8 \div \frac{4}{5}$$

$$\frac{9}{10} \div \frac{6}{7}$$

$$\frac{5}{12} \div \frac{1}{36}$$

$$\frac{5}{3} \div \frac{5}{7}$$

$$1\frac{5}{9} \div \frac{5}{6}$$

$$1\frac{1}{2} \div \frac{2}{7}$$

$3 \div \dfrac{5}{6}$

$\dfrac{6}{13} \div \dfrac{2}{13}$

$\dfrac{5}{7} \div \dfrac{3}{4}$

$\dfrac{4}{5} \div \dfrac{3}{10}$

$2\dfrac{2}{3} \div \dfrac{4}{9}$

$6\dfrac{3}{4} \div \dfrac{5}{7}$

$6 \div \dfrac{6}{7}$

$\dfrac{5}{9} \div \dfrac{2}{3}$

$\dfrac{7}{8} \div \dfrac{4}{5}$

$\dfrac{9}{5} \div \dfrac{3}{4}$

$2\dfrac{1}{3} \div \dfrac{1}{4}$

$8\dfrac{1}{8} \div 1\dfrac{5}{8}$

블록을 쌓아 여러 가지 모양을 만들고 있습니다.
나눗셈의 몫이 써 있는 블록 붙임딱지를 붙여서 블록 모양을 완성해 보세요.

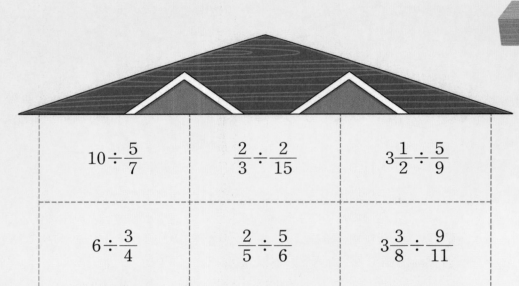

$$10 \div \frac{5}{7} \qquad \frac{2}{3} \div \frac{2}{15} \qquad 3\frac{1}{2} \div \frac{5}{9}$$

$$6 \div \frac{3}{4} \qquad \frac{2}{5} \div \frac{5}{6} \qquad 3\frac{3}{8} \div \frac{9}{11}$$

$$\frac{8}{3} \div \frac{7}{10}$$

$$15 \div \frac{5}{6} \qquad \frac{7}{9} \div \frac{2}{3}$$

$$1\frac{1}{3} \div \frac{3}{4} \qquad 9 \div \frac{8}{9}$$

$$\frac{5}{6} \div \frac{4}{5} \qquad\qquad 4\frac{2}{3} \div \frac{5}{8}$$

$9 \div \dfrac{3}{4}$

$\dfrac{5}{7} \div \dfrac{2}{7}$

$\dfrac{3}{2} \div \dfrac{4}{5}$

$12 \div \dfrac{4}{9}$

$1\dfrac{4}{9} \div \dfrac{2}{7}$

$\dfrac{5}{6} \div \dfrac{4}{7}$

$3\dfrac{1}{2} \div \dfrac{5}{6}$

$24 \div \dfrac{8}{15}$

$6 \div \dfrac{13}{15}$

$6\dfrac{3}{7} \div 3\dfrac{1}{3}$

$\dfrac{7}{9} \div \dfrac{3}{8}$

$\dfrac{14}{9} \div \dfrac{5}{6}$

$2\dfrac{1}{7} \div \dfrac{3}{14}$

$\dfrac{9}{5} \div \dfrac{3}{4}$

$1\dfrac{3}{8} \div \dfrac{4}{5}$

$3\dfrac{1}{5} \div \dfrac{8}{9}$

$5\dfrac{1}{4} \div \dfrac{5}{9}$

$1\dfrac{1}{2} \div \dfrac{2}{3}$

개념 1 분자끼리 나누어떨어지는 분모가 같은 (분수)÷(분수) 알아보기

01 나눗셈의 몫을 찾아 선으로 이어 보세요.

$$\frac{3}{8} \div \frac{1}{8}$$ ·   · 4

$$\frac{4}{7} \div \frac{2}{7}$$ ·   · 3

$$\frac{12}{13} \div \frac{3}{13}$$ ·   · 2

02 계산 결과를 비교하여 ◯ 안에 >, =, <를 알맞게 써넣으세요.

$$\frac{8}{9} \div \frac{2}{9}$$ ◯ $$\frac{10}{11} \div \frac{5}{11}$$

03 그림에 알맞은 진분수끼리의 나눗셈식을 만들고 답을 구해 보세요.

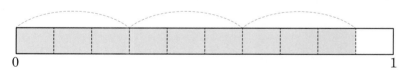

식 _____

답 _____

개념 2 분자끼리 나누어떨어지지 않는 분모가 같은 (분수)÷(분수) 알아보기

04 빈칸에 알맞은 수를 써넣으세요.

(1)

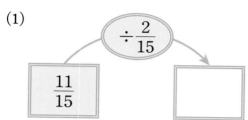

(2)

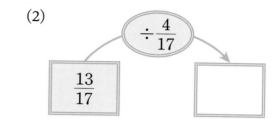

05 계산 결과가 가장 작은 것에 ○표 하세요.

$$\frac{12}{13} \div \frac{5}{13}$$

$$\frac{8}{9} \div \frac{5}{9}$$

$$\frac{15}{19} \div \frac{4}{19}$$

(   )　　　　(   )　　　　(   )

06 **조건** 을 만족하는 분수의 나눗셈식을 모두 쓰려고 합니다. ☐ 안에 알맞은 수를 써넣으세요.

조건

• 11÷7을 이용하여 계산할 수 있습니다.
• 분모가 14보다 작은 진분수의 나눗셈입니다.
• 두 분수의 분모는 같습니다.

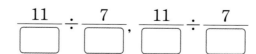

식 _____

개념3 분모가 다른 (분수)÷(분수) 알아보기

07 빈칸에 알맞은 수를 써넣으세요.

÷ →

$\dfrac{4}{7}$	$\dfrac{2}{21}$	
$\dfrac{28}{34}$	$\dfrac{7}{17}$	

08 계산 결과가 자연수인 나눗셈을 말한 학생의 이름을 써 보세요.

예지 $\dfrac{3}{7} \div \dfrac{2}{3}$

현서 $\dfrac{3}{4} \div \dfrac{1}{8}$

윤하 $\dfrac{7}{15} \div \dfrac{4}{5}$

( )

09 주스를 가은이는 $\dfrac{3}{8}$ L 마셨고, 상혁이는 $\dfrac{3}{5}$ L 마셨습니다. 가은이가 마신 주스의 양은 상혁이가 마신 주스의 양의 몇 배인지 식을 쓰고 답을 구해 보세요.

식 _____

답 _____

개념4 (자연수)÷(분수) 알아보기

10 빈칸에 알맞은 수를 써넣으세요.

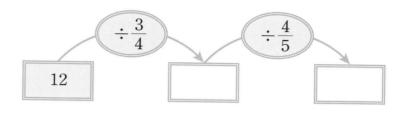

11 가장 큰 수를 가장 작은 수로 나눈 몫을 구해 보세요.

| 9 | $\dfrac{2}{3}$ | 14 | $1\dfrac{3}{4}$ |

(   )

12 선물 상자 한 개를 포장하는 데 리본이 $\dfrac{6}{7}$ m 필요합니다. 리본 18 m로 선물 상자를 몇 개까지 포장할 수 있는지 구해 보세요.

(   )

13 수박 $\dfrac{4}{5}$ 통의 무게가 8 kg입니다. 수박 한 통의 무게는 몇 kg인지 식을 쓰고 답을 구해 보세요.

식 _____

답 _____

개념5 (분수)÷(분수)를 (분수)×(분수)로 나타내기

14 ㉠, ㉡, ㉢에 알맞은 수의 합을 구해 보세요.

$$\frac{4}{9} \div \frac{5}{7} = \frac{4}{9} \times \frac{㉠}{㉡} = \frac{28}{㉢}$$

(   )

15 계산 결과가 가장 큰 것에 ◯표 하세요.

$\frac{7}{10} \div \frac{2}{5}$	$\frac{5}{8} \div \frac{3}{4}$	$\frac{8}{9} \div \frac{2}{7}$
( )	( )	( )

16 넓이가 $\frac{7}{15}$ m²인 직사각형이 있습니다. 세로가 $\frac{2}{5}$ m일 때 가로는 몇 m인지 구해 보세요.

$\frac{7}{15}$ m² $\frac{2}{5}$ m

(   )

17 동화책의 무게는 $\frac{3}{8}$ kg이고 가방의 무게는 $\frac{9}{10}$ kg입니다. 동화책의 무게는 가방의 무게의 몇 배인지 구해 보세요.

(   )

개념 6 (분수)÷(분수) 계산하기

18 $2\frac{1}{8} \div \frac{3}{4}$ 을 두 가지 방법으로 계산해 보세요.

방법1 _____

방법2 _____

19 잘못 계산한 부분을 찾아 이유를 쓰고 바르게 계산해 보세요.

$$2\frac{4}{7} \div \frac{2}{3} = 2\frac{\overset{2}{\cancel{4}}}{7} \times \frac{3}{\underset{1}{\cancel{2}}} = 2\frac{6}{7}$$

이유 _____

바른 계산 _____

20 휘발유 $\frac{5}{6}$ L로 $9\frac{4}{9}$ km를 가는 자동차가 있습니다. 이 자동차는 휘발유 1 L로 몇 km를 갈 수 있는지 구해 보세요.

(   )

⭐ **가격 구하기**

1 어느 가게에서 귤 $\frac{5}{6}$ kg의 가격이 5000원입니다. 이 귤 4 kg의 가격은 얼마인지 구해 보세요.

답 _____

 개념 피드백
① 귤 1 kg의 가격을 구합니다.
② ①에서 구한 값과 4의 곱을 구합니다.

1-1 어느 가게에서 사탕 $\frac{4}{7}$ kg의 가격이 3200원입니다. 이 사탕 5 kg의 가격은 얼마인지 구해 보세요.

(   )

1-2 어느 가게에서 고구마 $\frac{3}{4}$ kg의 가격이 4800원입니다. 이 고구마 3 kg을 사려고 20000원을 냈습니다. 거스름돈은 얼마인지 구해 보세요.

(   )

1-3 어느 가게에서 딸기 $\frac{7}{8}$ kg의 가격이 5600원이고, 포도 $\frac{8}{9}$ kg의 가격이 7200원입니다. 이 가게에서 딸기 1 kg과 포도 1 kg의 가격의 합은 얼마인지 구해 보세요.

(   )

★ 어떤 수 구하기

2 ☐ 안에 알맞은 수를 구해 보세요.

$$\square \times \frac{5}{8} = 5\frac{3}{4}$$

답 _____

개념
피드백

① ▲ × ■ = ●
   ■ × ▲ = ● ➡ ■ = ● ÷ ▲

② ①의 관계를 이용하여 식을 세워 계산합니다.

2-1 ㉠에 알맞은 수를 구해 보세요.

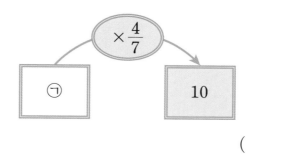

$$\times \frac{4}{7}$$

㉠   10

(   )

2-2 ★에 알맞은 수를 구해 보세요.

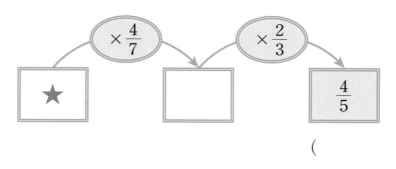

$$\times \frac{4}{7} \qquad \times \frac{2}{3}$$

★ $\frac{4}{5}$

(   )

★ ☐ 안에 들어갈 수 있는 자연수 구하기

3 ☐ 안에 들어갈 수 있는 자연수를 모두 구해 보세요.

$$\square \div \frac{1}{5} < 25$$

답 _____

**개념
피드백**
① 나눗셈을 곱셈으로 나타내어 봅니다.
② ①의 식을 이용하여 ☐ 안에 들어갈 수 있는 자연수를 구합니다.

3-1 ☐ 안에 들어갈 수 있는 자연수를 모두 구해 보세요.

$$9 \div \frac{1}{\square} < 50$$

(   )

3-2 ☐ 안에 들어갈 수 있는 자연수는 모두 몇 개인지 구해 보세요.

$$15 < \square \div \frac{1}{7} < 45$$

(   )

★ 수 카드로 나눗셈식 만들어 계산하기

4 수 카드 3장을 한 번씩 모두 사용하여 계산 결과가 가장 작은 (자연수)÷(진분수)를 만들고 계산해 보세요.

답 _____

개념 피드백
① 진분수는 분자가 분모보다 작은 분수입니다.
② 나눗셈의 몫이 가장 작은 경우는 가장 작은 수를 남은 수로 만들 수 있는 가장 큰 진분수로 나눌 때입니다.

4-1 수 카드 3장을 한 번씩 모두 사용하여 계산 결과가 가장 작은 (자연수)÷(가분수)를 만들고 계산해 보세요.

$$\boxed{5}\ \boxed{8}\ \boxed{9} \rightarrow \boxed{} \div \dfrac{\boxed{}}{\boxed{}}$$

(   )

4-2 수 카드 4장을 한 번씩 모두 사용하여 계산 결과가 가장 작은 (자연수)÷(대분수)를 만들고 계산해 보세요.

$$\boxed{2}\ \boxed{3}\ \boxed{5}\ \boxed{6} \rightarrow \boxed{} \div \boxed{}\dfrac{\boxed{}}{\boxed{}}$$

(   )

단계

3 교과서 **실력 다지기**

⭐ **도형의 넓이를 이용하여 길이 구하기**

5 오른쪽 삼각형의 넓이는 $\frac{3}{4}$ m²입니다. 이 삼각형의 높이는 몇 m인지 구해 보세요.

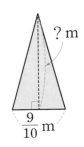

답 _____

> **개념 피드백**
> ① (삼각형의 넓이)＝(밑변의 길이)×(높이)÷2
> ② ①의 식을 세워 높이를 계산합니다.

5-1 오른쪽 삼각형의 넓이는 $\frac{7}{8}$ m²입니다. 이 삼각형의 밑변의 길이는 몇 m인지 구해 보세요.

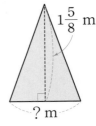

(   )

5-2 오른쪽 마름모의 넓이는 $\frac{35}{8}$ m²입니다. □ 안에 알맞은 수를 구해 보세요.

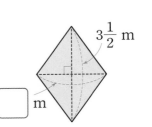

(   )

★ 바르게 계산한 값 구하기

6 어떤 수를 $\frac{5}{6}$로 나누어야 할 것을 잘못하여 $\frac{5}{6}$를 곱했더니 $4\frac{3}{8}$이 되었습니다. 바르게 계산한 값을 구해 보세요.

답 _____

1 주
교과서

개념
피드백
① 잘못 계산한 식을 세워 어떤 수를 구합니다.
② 바른 식을 세워 계산합니다.

6-1 어떤 수를 $\frac{3}{5}$으로 나누어야 할 것을 잘못하여 $\frac{3}{5}$을 곱했더니 $2\frac{7}{10}$이 되었습니다. 바르게 계산한 값을 구해 보세요.

(   )

6-2 어떤 수 문제를 풀려고 합니다. 다음 문제의 답을 구해 보세요.

어떤 수를 $\frac{4}{9}$로 나누어야 할 것을 잘못하여 $\frac{9}{4}$로 나누었더니 $2\frac{2}{3}$가 되었습니다. 바르게 계산한 값은 얼마일까요?

(   )

 1 민준이가 자전거를 타고 $\frac{2}{3}$ km를 가는 데 3분이 걸렸습니다. 같은 빠르기로 1 km를 가는 데 걸리는 시간은 몇 분 몇 초인지 구해 보세요.

✏️ 구하려는 것, 주어진 것에 선을 그어 봅니다.

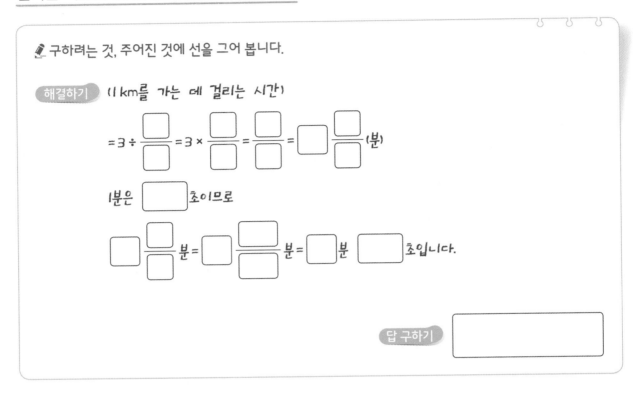

해결하기 (1 km를 가는 데 걸리는 시간)

$$= 3 \div \frac{\square}{\square} = 3 \times \frac{\square}{\square} = \frac{\square}{\square} = \square\frac{\square}{\square}(분)$$

1분은 $\square$ 초이므로

$$\square\frac{\square}{\square}분 = \square\frac{\square}{\square}분 = \square분 \square초입니다.$$

답 구하기

2 지선이가 자전거를 타고 $\frac{5}{6}$ km를 가는 데 $3\frac{1}{2}$분이 걸렸습니다. 같은 빠르기로 1 km를 가는 데 걸리는 시간은 몇 분 몇 초인지 구해 보세요.

✏️ 구하려는 것, 주어진 것에 선을 그어 봅니다.

해결하기

답 구하기

3 물이 $2\frac{1}{3}$ L 들어 있는 5 L 들이의 물통에 물을 가득 채우려고 합니다. $\frac{1}{3}$ L 들이의 그릇으로 적어도 몇 번 부어야 하는지 구해 보세요.

✏ 구하려는 것, 주어진 것에 선을 그어 봅니다.

〔해결하기〕 (더 부어야 하는 물의 양)

$$= 5 - 2\frac{1}{3} = 4\frac{\square}{3} - 2\frac{1}{3} = \square\frac{\square}{\square} \text{ (L)}$$

(그릇으로 부어야 하는 횟수)

$$= \square\frac{\square}{\square} \div \frac{\square}{\square} = \frac{\square}{\square} \div \frac{\square}{\square} = \square \div \square = \square \text{ (번)}$$

〔답 구하기〕 ⬚

4 물이 $3\frac{1}{5}$ L 들어 있는 5 L 들이의 물통에 물을 가득 채우려고 합니다. $\frac{1}{5}$ L 들이의 그릇으로 적어도 몇 번 부어야 하는지 구해 보세요.

✏ 구하려는 것, 주어진 것에 선을 그어 봅니다.

〔해결하기〕

〔답 구하기〕 _____

1
주

교과서

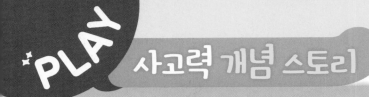

사고력 개념 스토리 · 자동차 찾기

주유기에 써 있는 연료의 양으로 바닥에 적힌 거리만큼 갈 수 있습니다.
연료 1 L로 갈 수 있는 거리가 써 있는 자동차 붙임딱지를 붙여 보세요.

갈 수 있는 거리: $6\frac{2}{9}$ km

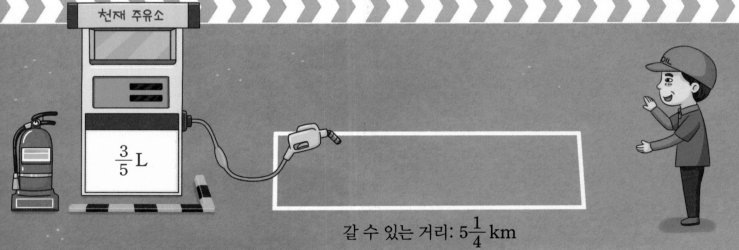

갈 수 있는 거리: $5\frac{1}{4}$ km

갈 수 있는 거리: $7\frac{6}{7}$ km

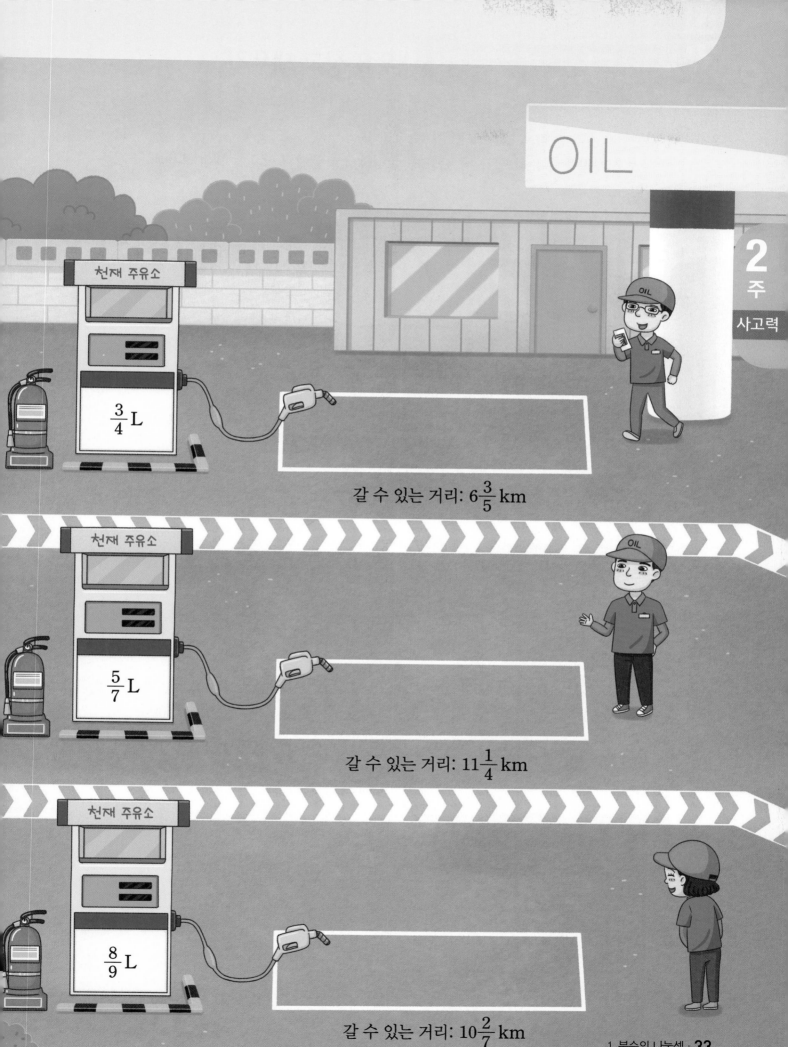

천재 주유소

$\frac{3}{4}$ L

갈 수 있는 거리: $6\frac{3}{5}$ km

천재 주유소

$\frac{5}{7}$ L

갈 수 있는 거리: $11\frac{1}{4}$ km

천재 주유소

$\frac{8}{9}$ L

갈 수 있는 거리: $10\frac{2}{7}$ km

목장에서 일꾼들이 우유를 짜고 있습니다.
일꾼의 말을 보고 알맞은 우유의 양이 써 있는 통 붙임딱지를 붙여서 창고를 채워 보세요.

$5\frac{1}{4}$ L를 짜는 데 $\frac{9}{10}$시간이 걸려.

4시간 후 ➡

창고

$3\frac{1}{3}$ L를 짜는 데 $\frac{2}{5}$시간이 걸려.

3시간 후 ➡

창고

$2\frac{1}{6}$ L를 짜는 데 $\frac{1}{2}$시간이 걸려.

5시간 후 ➡

창고

1 다음과 같은 도로의 양쪽에 처음부터 끝까지 같은 간격으로 가로등을 설치하려고 합니다. 필요한 가로등은 모두 몇 개인지 구해 보세요. (단, 가로등의 굵기는 생각하지 않습니다.)

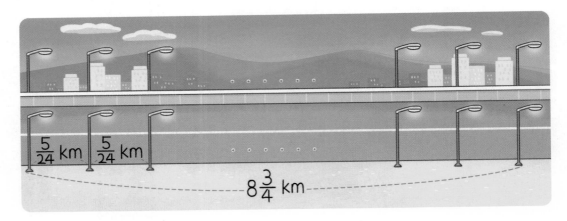

① 도로의 한쪽에 설치할 가로등 사이의 간격은 몇 군데인지 구해 보세요.

(   )

② 도로의 한쪽에 설치하는 데 필요한 가로등은 몇 개인지 구해 보세요.

(   )

③ 도로의 양쪽에 설치하는 데 필요한 가로등은 몇 개인지 구해 보세요.

(   )

2 수직선에서 0과 1 사이를 9등분 하였습니다. ㉡÷㉠의 값을 구해 보세요.

① 눈금 한 칸의 크기를 구해 보세요.

( )

② ㉠과 ㉡이 각각 나타내는 분수를 구해 보세요.

㉠ ( ), ㉡ ( )

③ ㉡÷㉠의 값을 구해 보세요.

( )

3 수직선에서 0과 1 사이를 7등분 하였습니다. ㉡÷㉠의 값을 구해 보세요.

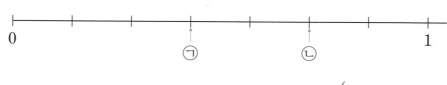

( )

4 미영이가 어제와 오늘 같은 빠르기로 걸었습니다. 미영이가 오늘 걸은 거리는 몇 km인지 구해 보세요.

❶ 42분은 몇 시간인지 분수로 나타내어 보세요.

(   )

❷ 미영이가 한 시간 동안 걸을 수 있는 거리는 몇 km인지 구해 보세요.

(   )

❸ 미영이가 오늘 걸은 거리는 몇 km인지 구해 보세요.

(   )

5 종혁이와 경은이가 멀리뛰기를 했습니다. 종혁이는 트랙의 $\frac{4}{7}$만큼 뛰었고, 경은이는 $\frac{5}{9}$만큼 뛰었습니다. 경은이가 뛴 거리는 종혁이가 뛴 거리의 몇 배인지 구해 보세요.

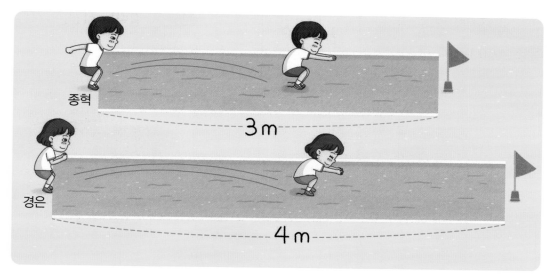

① 종혁이가 뛴 거리는 몇 m인지 구해 보세요.

( )

② 경은이가 뛴 거리는 몇 m인지 구해 보세요.

( )

③ 경은이가 뛴 거리는 종혁이가 뛴 거리의 몇 배인지 구해 보세요.

( )

1 길이가 $12\frac{3}{4}$ cm인 향초에 불을 붙인 다음 한 시간 후 남은 향초의 길이를 재어보았더니 다음과 같았습니다. 길이가 $12\frac{3}{4}$ cm인 향초가 모두 타는 데 걸리는 시간은 몇 시간 몇 분인지 구해 보세요.

① 한 시간 동안 탄 향초의 길이는 몇 cm인지 구해 보세요.

( )

② 길이가 $12\frac{3}{4}$ cm인 향초가 모두 타는 데 걸리는 시간은 몇 시간인지 분수로 나타내어 보세요.

( )

③ 길이가 $12\frac{3}{4}$ cm인 향초가 모두 타는 데 걸리는 시간은 몇 시간 몇 분인지 구해 보세요.

( )

2 같은 기호는 같은 수를 나타낼 때 B에 알맞은 수를 구해 보세요.

$$A \times \frac{8}{9} = \frac{2}{9}$$

$$A \div B = \frac{9}{22}$$

❶ A에 알맞은 수를 구해 보세요.

(   )

❷ B에 알맞은 수를 구해 보세요.

(   )

3 같은 기호는 같은 수를 나타낼 때 ㉯에 알맞은 수를 구해 보세요.

$$\frac{4}{5} \times ㉮ = \frac{2}{5}$$

$$㉮ \times ㉯ = \frac{3}{16}$$

❶ ㉮에 알맞은 수를 구해 보세요.

(   )

❷ ㉯에 알맞은 수를 구해 보세요.

(   )

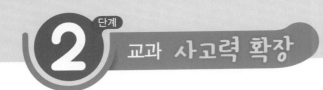

4 다음과 같이 사다리를 타고 내려갔을 때 도착하는 곳에 계산 결과가 나오도록 기호에 알맞은 수를 각각 구해 보세요.

[사다리 타는 방법]

① 출발점에서 아래로 내려가다가 만나는 다리는 반드시 옆으로 건너야 합니다.

② 아래와 옆으로만 이동할 수 있습니다.

③ 지나가는 길에 있는 식은 차례대로 모두 계산합니다.

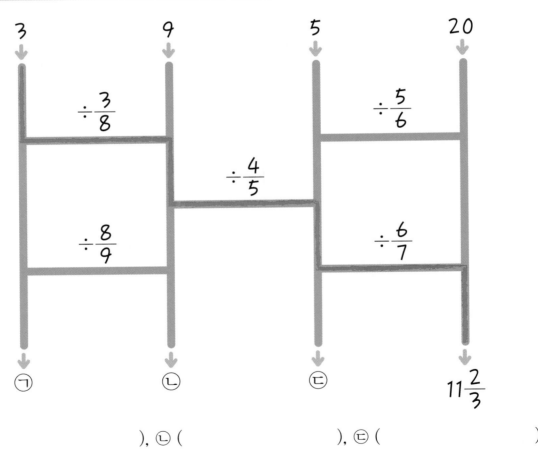

㉠ (   ), ㉡ (   ), ㉢ (   )

5 보기 와 같이 약속할 때 다음을 계산한 값을 구해 보세요.

보기

$$\begin{bmatrix} ㉮ & ㉯ \\ ㉰ & ㉱ \end{bmatrix} = ㉮ \div ㉰ - ㉯ \div ㉱$$

$$\begin{bmatrix} 1\dfrac{5}{6} & 1\dfrac{2}{7} \\ \dfrac{1}{4} & \dfrac{3}{5} \end{bmatrix}$$

1 ㉮÷㉰의 값을 구해 보세요.

( )

2 ㉯÷㉱의 값을 구해 보세요.

( )

3 ㉮÷㉰－㉯÷㉱의 값을 구해 보세요.

( )

6 보기 와 같이 약속할 때 다음을 계산한 값을 구해 보세요.

보기

$$\left\langle \begin{matrix} A & B \\ C & D \end{matrix} \right\rangle = A \div B - C \div D$$

$$\left\langle \begin{matrix} 6\dfrac{7}{8} & \dfrac{5}{6} \\ 5\dfrac{1}{3} & \dfrac{4}{5} \end{matrix} \right\rangle$$

( )

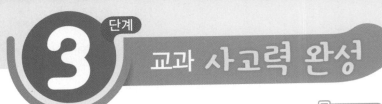

평가 영역 ☐개념 이해력 ☑개념 응용력 ☐창의력 ☐문제 해결력

1 달의 중력은 지구의 $\frac{1}{6}$이어서 달에서의 무게는 지구에서의 무게의 $\frac{1}{6}$입니다. 지구에서의 현서의 몸무게는 몇 kg인지 구해 보세요.

달에서 내 몸무게는 5 kg이야.

현서

▲ 출처 ⓒNada Sertic/shutterstock, ⓒClaudio Divizia/shutterstock

( )

평가 영역 ☐개념 이해력 ☑개념 응용력 ☐창의력 ☐문제 해결력

2 조의를 표하는 날에는 다음과 같이 태극기를 깃봉에서부터 태극기의 세로 길이만큼 내려서 게양합니다. 태극기의 가로는 세로의 몇 배인지 구해 보세요.

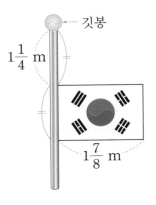

깃봉

$1\frac{1}{4}$ m

$1\frac{7}{8}$ m

( )

3 칠교판 조각 중 2조각만 사용하여 모양 가와 나를 각각 만들었습니다. 모양을 만드는 데 사용한 조각에 써 있는 분수의 합을 모양의 넓이로 한다면 가의 넓이는 나의 넓이의 몇 배인지 구해 보세요.

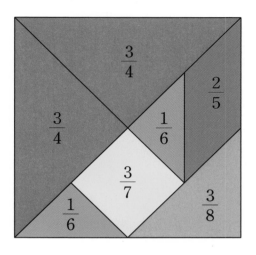

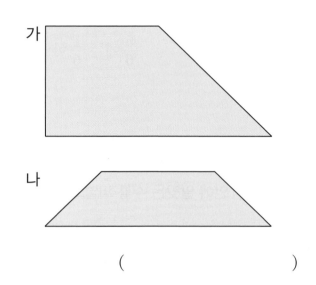

(   )

4 떨어뜨린 높이의 $\dfrac{4}{5}$ 만큼 튀어 오르는 공이 있습니다. 이 공이 두 번째로 튀어 오른 높이가 $1\dfrac{3}{7}$ m라면 처음에 공을 떨어뜨린 높이는 몇 m인지 구해 보세요.

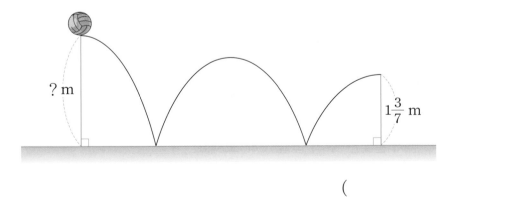

(   )

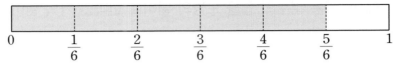

1 그림을 보고 □ 안에 알맞은 수를 써넣으세요.

0	$\frac{1}{6}$	$\frac{2}{6}$	$\frac{3}{6}$	$\frac{4}{6}$	$\frac{5}{6}$	1

$\frac{5}{6}$에는 $\frac{1}{6}$이 □번 들어갑니다. ➡ $\frac{5}{6} \div \frac{1}{6} = \boxed{}$

2 □ 안에 알맞은 수를 써넣으세요.

$\frac{6}{7}$은 $\frac{1}{7}$이 □개이고 $\frac{2}{7}$는 $\frac{1}{7}$이 □개이므로 $\frac{6}{7} \div \frac{2}{7} = \boxed{}$입니다.

3 □ 안에 알맞은 수를 써넣으세요.

(1) $\frac{6}{7} \div \frac{3}{14} = \frac{\boxed{}}{14} \div \frac{3}{14} = \boxed{} \div 3 = \boxed{}$

(2) $\frac{7}{8} \div \frac{7}{24} = \frac{\boxed{}}{24} \div \frac{7}{24} = \boxed{} \div 7 = \boxed{}$

4 ㉠, ㉡, ㉢에 알맞은 수의 합을 구해 보세요.

$\frac{4}{7} \div \frac{3}{5} = \frac{4}{7} \times \frac{㉠}{㉡} = \frac{20}{㉢}$

(   )

5 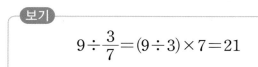 와 같이 계산해 보세요.

보기

$$9 \div \frac{3}{7} = (9 \div 3) \times 7 = 21$$

$$10 \div \frac{5}{9} = \underline{\hspace{8cm}}$$

6 나눗셈식을 곱셈식으로 나타내어 계산해 보세요.

(1) $\dfrac{4}{7} \div \dfrac{3}{5}$

(2) $\dfrac{3}{8} \div \dfrac{5}{9}$

(3) $\dfrac{4}{9} \div \dfrac{7}{10}$

(4) $\dfrac{8}{13} \div \dfrac{7}{8}$

7 계산 결과를 비교하여 ○ 안에 >, =, <를 알맞게 써넣으세요.

$$12 \div \frac{2}{7} \quad \bigcirc \quad 15 \div \frac{5}{8}$$

8 가장 큰 수를 가장 작은 수로 나눈 몫을 구해 보세요.

$$1\frac{8}{9} \qquad \frac{5}{6} \qquad 3\frac{1}{2}$$

(   )

9 넓이가 $1\frac{5}{16}$ m²인 평행사변형이 있습니다. 높이가 $\frac{3}{4}$ m일 때 밑변의 길이는 몇 m인지 구해 보세요.

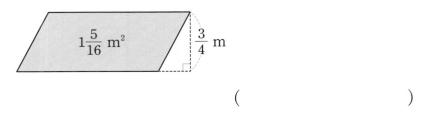

(   )

10 ☐ 안에 알맞은 수를 구해 보세요.

(   )

11 수직선에서 0과 1 사이를 8등분 하였습니다. ㉡÷㉠의 값을 구해 보세요.

(   )

12 어느 가게에서 설탕 $\frac{5}{12}$ kg의 가격이 1000원입니다. 이 설탕 6 kg의 가격은 얼마인지 구해 보세요.

(   )

13 같은 모양은 같은 수를 나타낼 때 ▲에 알맞은 수를 구해 보세요.

$$\blacksquare \times \frac{6}{11} = \frac{3}{11}$$

$$\blacksquare \div \blacktriangle = \frac{3}{5}$$

(   )

14 ★에 알맞은 수를 구해 보세요.

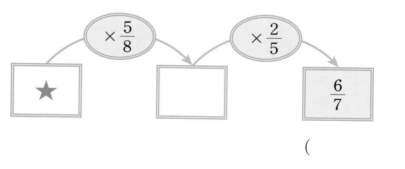

(   )

15 물이 $2\frac{3}{4}$ L 들어 있는 8 L 들이의 물통에 물을 가득 채우려고 합니다. $\frac{1}{4}$ L 들이의 그릇으로 적어도 몇 번 부어야 하는지 구해 보세요.

(   )

16 수 카드 4장을 한 번씩 모두 사용하여 계산 결과가 가장 작은 (자연수)÷(대분수)를 만들고 계산해 보세요.

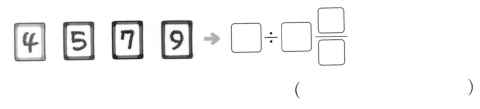

(   )

17 서진이는 2 km를 걷는 데 36분이 걸렸습니다. 서진이가 같은 빠르기로 $4\frac{1}{2}$시간 동안 갈 수 있는 거리는 몇 km인지 구해 보세요.

(   )

18 떨어뜨린 높이의 $\frac{5}{6}$만큼 튀어 오르는 공이 있습니다. 이 공이 세 번째로 튀어 오른 높이가 $2\frac{2}{9}$ m라면 처음에 공을 떨어뜨린 높이는 몇 m인지 구해 보세요.

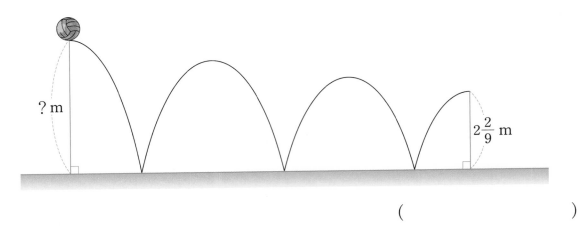

(   )

1 윤호와 미라가 갖고 있는 페인트를 모두 사용하여 가로는 $6\frac{1}{9}$ m, 세로는 $2\frac{2}{5}$ m인 직사각형 모양의 벽을 칠하였습니다. 페인트 1 L로 몇 m²의 벽을 칠한 셈인지 구해 보세요.

(   )

2 네 사람이 각각 물을 마셨습니다. 예지가 마신 물의 양이 $\frac{9}{20}$ L일 때 강호가 마신 물의 양은 몇 L인지 구해 보세요.

(   )

단원과 관련된
소수 이야기를
살펴보아요.

똑같이 자르기

지연이네 반 친구들은 학예회에서 연극을 하기로 했습니다. 각자 연극 소품에 필요한 장식을 열심히 만들고 있습니다. 친구들이 만든 소품을 알아볼까요?

철사 0.6 m로 꽃 1송이를 만들 수 있습니다. 철사 2.4 m를 0.6 m씩 자르면
$0.6+0.6+0.6+0.6=2.4$ (m)이므로 꽃 4송이를 만들 수 있습니다.

무대 배경은 가로 4.4 m, 세로 2.2 m인 직사각형입니다. 4.4 m를 2.2 m씩 자르면
$2.2+2.2=4.4$이므로 무대 배경의 가로는 세로의 2배입니다.

→ 소수의 덧셈과 뺄셈으로 구할 수도 있지만 $4.4 \div 2.2$와 같이 소수의 나눗셈을 통해 간단히 구할 수 있습니다. 먼저 1학기 때 배운 (소수)÷(자연수)를 복습해 볼까요?

□ 안에 알맞은 수를 써넣으세요.

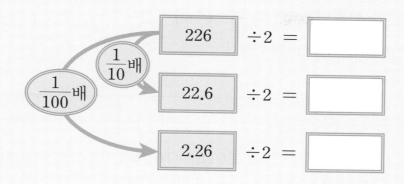

$226 \div 2 = \boxed{}$

$22.6 \div 2 = \boxed{}$

$2.26 \div 2 = \boxed{}$

 □ 안에 알맞은 수를 써넣으세요.

❶ $6.9 \div 3 = \dfrac{69}{\boxed{}} \div 3 = \dfrac{69 \div 3}{\boxed{}} = \dfrac{\boxed{}}{\boxed{}} = \boxed{}$

❷ $3.28 \div 4 = \dfrac{328}{\boxed{}} \div 4 = \dfrac{328 \div 4}{\boxed{}} = \dfrac{\boxed{}}{\boxed{}} = \boxed{}$

 관계있는 것끼리 선으로 이어 보세요.

$25.2 \div 4$ •	• 0.25
$1.25 \div 5$ •	• 6.3
$32.4 \div 6$ •	• 5.4

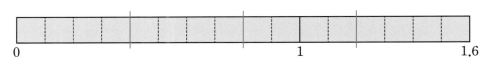

개념 **1** 자연수의 나눗셈을 이용하여 (소수)÷(소수) 계산하기

• 색 테이프 1.6 cm를 0.4 cm씩 자르기

0 ─────────────── 1 ──── 1.6

1 cm＝10 mm이므로 1.6 cm＝16 mm, 0.4 cm＝4 mm입니다.

색 테이프 1.6 cm를 0.4 cm씩 자르는 것은

색 테이프 16 mm를 4 mm씩 자르는 것과 같습니다.

➡ 1.6÷0.4＝16÷4＝4

나누는 수와 나누어지는 수에 똑같이 10배 또는 100배를 하여 (자연수)÷(자연수)로 계산합니다.

예

$50.4 \div 0.8$
10배   10배
$504 \div 8 = 63$
$50.4 \div 0.8 = 63$ ┐→ 몫이 같습니다.

$5.04 \div 0.08$
100배   100배
$504 \div 8 = 63$
$5.04 \div 0.08 = 63$ ┐→ 몫이 같습니다.

개념 **2** 자릿수가 같은 (소수)÷(소수) 알아보기

• 7.5÷0.3의 계산

방법1 분수의 나눗셈으로 계산하기

$$7.5 \div 0.3 = \frac{75}{10} \div \frac{3}{10} = 75 \div 3 = 25$$

방법2 세로로 계산하기

$0.3\overline{)7.5}$ ➡ $0.3\overline{)7.5}$ ➡ $3\overline{)75}$

→ 소수점을 각각 오른쪽으로 한 자리씩 옮깁니다.

```
      2 5
  3 ) 7 5
      6
      1 5
      1 5
          0
```

7.5÷0.3은
7.5와 0.3의
소수점을 똑같이 옮긴
75÷3과 몫이
같습니다.

개념 확인 문제

1-1 ☐ 안에 알맞은 수를 써넣으세요.

> 끈 46.8 cm를 0.9 cm씩 자르려고 합니다.
>
> 46.8 cm＝468 mm, 0.9 cm＝☐ mm입니다.
>
> 끈 46.8 cm를 0.9 cm씩 자르는 것은 끈 ☐ mm를 ☐ mm씩 자르는 것과 같습니다.

$$46.8 \div 0.9 = 468 \div \boxed{} = \boxed{}$$

1-2 자연수의 나눗셈을 이용하여 소수의 나눗셈을 계산해 보세요.

(1)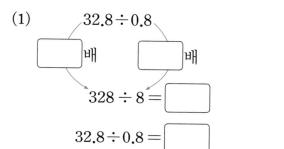

$$328 \div 8 = \boxed{}$$

$$32.8 \div 0.8 = \boxed{}$$

(2)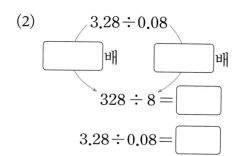

$$328 \div 8 = \boxed{}$$

$$3.28 \div 0.08 = \boxed{}$$

2-1 ☐ 안에 알맞은 수를 써넣으세요.

(1) $20.8 \div 0.4 = \dfrac{\boxed{}}{10} \div \dfrac{4}{10} = \boxed{} \div 4 = \boxed{}$

(2) $5.76 \div 0.08 = \dfrac{\boxed{}}{100} \div \dfrac{8}{100} = \boxed{} \div 8 = \boxed{}$

2-2 계산해 보세요.

(1)

$$0.7 \,\overline{)\,9.8}$$

(2)

$$0.13 \,\overline{)\,1.5\,6}$$

개념 3 자릿수가 다른 (소수)÷(소수) 알아보기

· 6.48÷2.4의 계산

방법1 나누어지는 수와 나누는 수를 각각 100배씩 하여 계산하기

$$2.4\overline{)6.4\,8} \Rightarrow 2.40\overline{)6.4\,8} \Rightarrow 240\overline{)6\,4\,8\,0}$$

↳ 소수점을 오른쪽으로
두 자리씩 옮깁니다.

$$
\begin{array}{r}
2.7 \\
240\overline{)6480} \\
480 \\
\hline
1680 \\
1680 \\
\hline
0
\end{array}
$$

방법2 나누어지는 수와 나누는 수를 각각 10배씩 하여 계산하기

$$2.4\overline{)6.4\,8} \Rightarrow 2.4\overline{)6.4\,8} \Rightarrow 24\overline{)6\,4.8}$$

↳ 소수점을 오른쪽으로
한 자리씩 옮깁니다.

$$
\begin{array}{r}
2.7 \\
24\overline{)64.8} \\
48 \\
\hline
168 \\
168 \\
\hline
0
\end{array}
$$

개념 4 (자연수)÷(소수) 알아보기

· 9÷0.45의 계산

방법1 분수의 나눗셈으로 계산하기

$$9 \div 0.45 = \frac{900}{100} \div \frac{45}{100} = 900 \div 45 = 20$$

방법2 자연수의 나눗셈을 이용하여 계산하기

$$9 \div 0.45 = 20 \qquad 900 \div 45 = 20$$

100배

방법3 세로로 계산하기

$$0.45\overline{)9} \Rightarrow 0.45\overline{)9.0\,0} \Rightarrow 45\overline{)9\,0\,0}$$

↳ 9 오른쪽에 소수점과
0을 2개 쓰고 소수점을
옮깁니다.

$$
\begin{array}{r}
20 \\
45\overline{)900} \\
90 \\
\hline
0
\end{array}
$$

개념 확인 문제

3-1 □ 안에 알맞은 수를 써넣으세요.

(1) $1.95 \div 1.5 = \boxed{} \div 150 = \boxed{}$

(2) $3.38 \div 1.3 = 33.8 \div \boxed{} = \boxed{}$

3
주

교과서

3-2 계산해 보세요.

(1)

$$0.8 \overline{\smash{)}3.8\ 4}$$

(2)

$$2.2 \overline{\smash{)}6.1\ 6}$$

4-1 보기 와 같이 분수의 나눗셈으로 바꾸어 계산해 보세요.

보기

$$903 \div 2.1 = \frac{9030}{10} \div \frac{21}{10} = 9030 \div 21 = 430$$

$432 \div 4.8 = $ _____

4-2 □ 안에 알맞은 수를 써넣으세요.

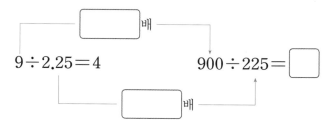

개념 5 몫을 반올림하여 나타내기

예 7.7÷6의 계산

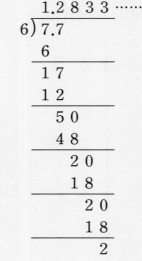

$$
\begin{array}{r}
1.2\,8\,3\,3\cdots \\
6\,\overline{)\,7.7} \\
6 \\
\hline
1\,7 \\
1\,2 \\
\hline
5\,0 \\
4\,8 \\
\hline
2\,0 \\
1\,8 \\
\hline
2\,0 \\
1\,8 \\
\hline
2
\end{array}
$$

몫이 나누어떨어지지 않으므로 몫을 반올림하여 나타내요.

몫을 반올림하여 나타낼 때에는 구하려는 자리 바로 아래 자리에서 반올림해요.

• 몫을 반올림하여 일의 자리까지 나타내기

7.7을 6으로 나눈 몫의 소수 첫째 자리 숫자가 2이므로 반올림하여 일의 자리까지 나타내면 1입니다.

$$7.7 \div 6 = 1.2\cdots \rightarrow 1$$
└→ 2이므로 버립니다.

• 몫을 반올림하여 소수 첫째 자리까지 나타내기

7.7을 6으로 나눈 몫의 소수 둘째 자리 숫자가 8이므로 반올림하여 소수 첫째 자리까지 나타내면 1.3입니다.

$$7.7 \div 6 = 1.28\cdots \rightarrow 1.3$$
└→ 8이므로 올립니다.

• 몫을 반올림하여 소수 둘째 자리까지 나타내기

7.7을 6으로 나눈 몫의 소수 셋째 자리 숫자가 3이므로 반올림하여 소수 둘째 자리까지 나타내면 1.28입니다.

$$7.7 \div 6 = 1.283\cdots \rightarrow 1.28$$
└→ 3이므로 버립니다.

참고

반올림은 구하려는 자리 바로 아래 자리의 숫자가 0, 1, 2, 3, 4이면 버리고 5, 6, 7, 8, 9이면 올려서 어림하는 방법입니다.

정답과 풀이 p.14

5-1 4.7÷0.6의 몫을 반올림하여 나타내려고 합니다. 물음에 답하세요.

(1) 4.7÷0.6의 몫을 소수 셋째 자리까지 계산해 보세요.

$$0.6 \overline{)4.7}$$

(2) 몫을 반올림하여 일의 자리까지 나타내어 보세요.

(   )

(3) 몫을 반올림하여 소수 첫째 자리까지 나타내어 보세요.

(   )

(4) 몫을 반올림하여 소수 둘째 자리까지 나타내어 보세요.

(   )

5-2 몫을 반올림하여 소수 첫째 자리까지 나타내어 보세요.

(1)

$$0.6 \overline{)2.3}$$

(2)

$$6 \overline{)9.4}$$

(   )   (   )

개념 **6** 나누어 주고 남는 양 알아보기

• 소금 24.6 kg을 한 병에 6 kg씩 나누어 담을 때 나누어 담을 수 있는 병의 수와 남는 소금의 양을 알아보기

방법1 뺄셈식으로 알아보기

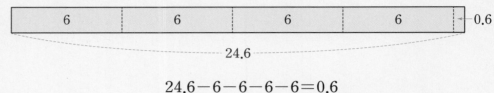

$$24.6-6-6-6-6=0.6$$
$$\underbrace{\qquad\qquad\qquad}_{4번}$$

24.6에서 6을 4번 빼면 0.6이 남습니다.
→ ┌ 나누어 담을 수 있는 병의 수: 4병
 └ 나누어 담고 남는 소금의 양: 0.6 kg

방법2 세로로 계산하기

남는 양의 소수점의 위치는 나누어지는 수의 소수점의 위치와 같아요.

한 병에 담는 → 소금의 양

$$\begin{array}{r} 4 \\ 6\overline{)2\,4.6} \\ \underline{2\,4} \\ 0.6 \end{array}$$

→ 나누어 담는 소금의 양

→ ┌ 나누어 담을 수 있는 병의 수: 4병
 └ 나누어 담고 남는 소금의 양: 0.6 kg

참고

세로로 계산하기가 잘못된 경우

$$\begin{array}{r} 4.1 \\ 6\overline{)2\,4.6} \\ \underline{2\,4} \\ 6 \\ \underline{6} \\ 0 \end{array}$$

┌ 병의 수: 4병
└ 남는 소금의 양: 0.1 kg

➡ 몫을 자연수까지만 구해야 하는데 소수까지 구했습니다.

$$\begin{array}{r} 4 \\ 6\overline{)2\,4.6} \\ \underline{2\,4} \\ 6 \end{array}$$

┌ 병의 수: 4병
└ 남는 소금의 양: 6 kg

➡ 나누어 담고 남는 양에 소수점을 찍지 않았습니다.

6-1 찹쌀 16.2 kg을 한 봉지에 5 kg씩 나누어 담으려고 합니다. 나누어 담을 수 있는 봉지 수와 남는 찹쌀은 몇 kg인지 알아보려고 다음과 같이 계산했습니다. 물음에 답하세요.

$$16.2 - 5 - 5 - 5 = \boxed{}$$

(1) □ 안에 알맞은 수를 써넣으세요.

(2) 계산식을 보고 찹쌀을 몇 봉지에 나누어 담을 수 있는지 구해 보세요.

(   )

(3) 계산식을 보고 봉지에 나누어 담고 남는 찹쌀의 양을 구해 보세요.

(   )

(4) 나누어 담을 수 있는 봉지 수와 남는 찹쌀의 양을 알아보려고 다음과 같이 계산했습니다. □ 안에 알맞은 수를 써넣으세요.

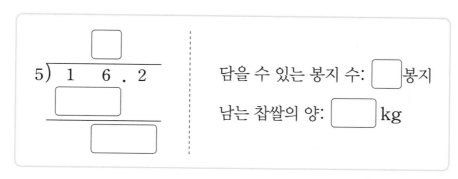

담을 수 있는 봉지 수: □ 봉지

남는 찹쌀의 양: □ kg

6-2 딸기 13.7 kg을 한 사람에게 3 kg씩 나누어 주려고 합니다. □ 안에 알맞은 수를 써넣으세요.

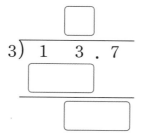

나누어 줄 수 있는 사람 수: □ 명

남는 딸기의 양: □ kg

준비물 붙임딱지

알사탕을 병에 담고 있습니다. 나눗셈의 몫이 써 있는 붙임딱지를 붙여 보세요.

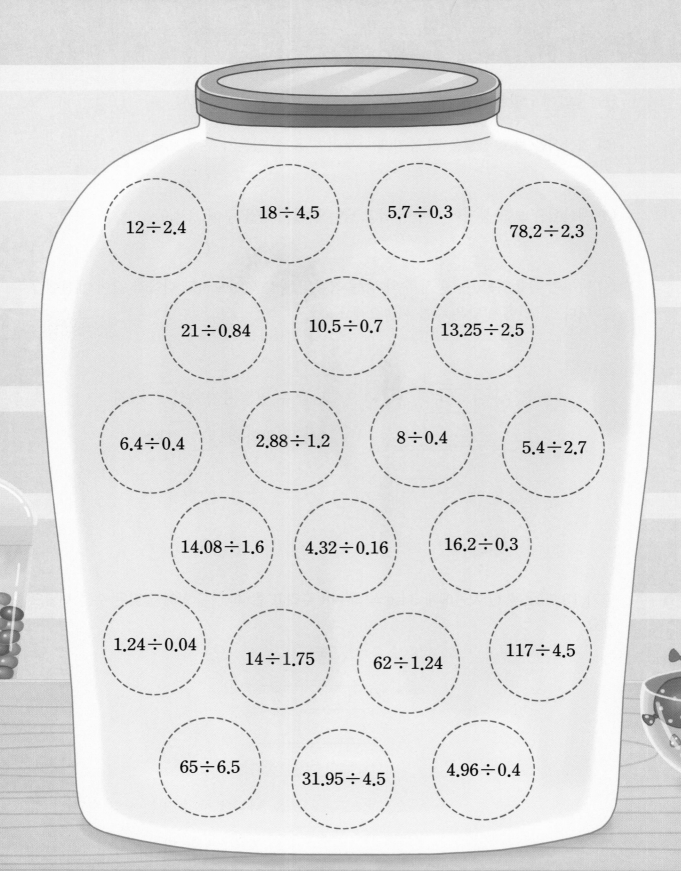

12÷2.4

18÷4.5

5.7÷0.3

78.2÷2.3

21÷0.84

10.5÷0.7

13.25÷2.5

6.4÷0.4

2.88÷1.2

8÷0.4

5.4÷2.7

14.08÷1.6

4.32÷0.16

16.2÷0.3

1.24÷0.04

14÷1.75

62÷1.24

117÷4.5

65÷6.5

31.95÷4.5

4.96÷0.4

2.48÷0.4

7.2÷0.8

6.5÷1.3

50.75÷3.5

6.3÷1.5

12÷0.75

7.48÷3.4

4.8÷1.6

4.48÷0.16

32.4÷0.4

4.68÷1.8

16÷0.25

4.62÷3.3

18÷1.5

8.28÷2.3

3.51÷2.7

15.4÷2.2

57÷28.5

17.6÷1.6

21÷3.5

5.32÷1.9

24.75÷4.5

교과서 개념 스토리 봉지에 사과 담기

준비물 붙임딱지

사과를 봉지에 나누어 담으려고 합니다. 봉지 수와 남는 사과의 양에 알맞게 붙임딱지를 붙여 보세요.

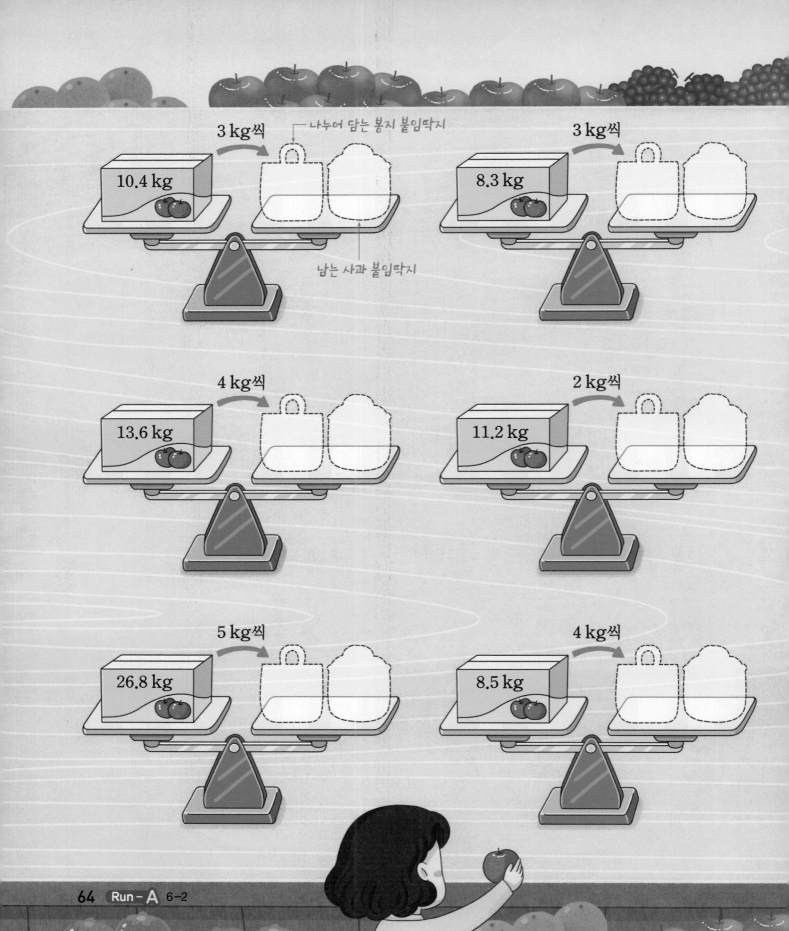

나누어 담는 봉지 붙임딱지

남는 사과 붙임딱지

3 kg씩

10.4 kg

3 kg씩

8.3 kg

4 kg씩

13.6 kg

2 kg씩

11.2 kg

5 kg씩

26.8 kg

4 kg씩

8.5 kg

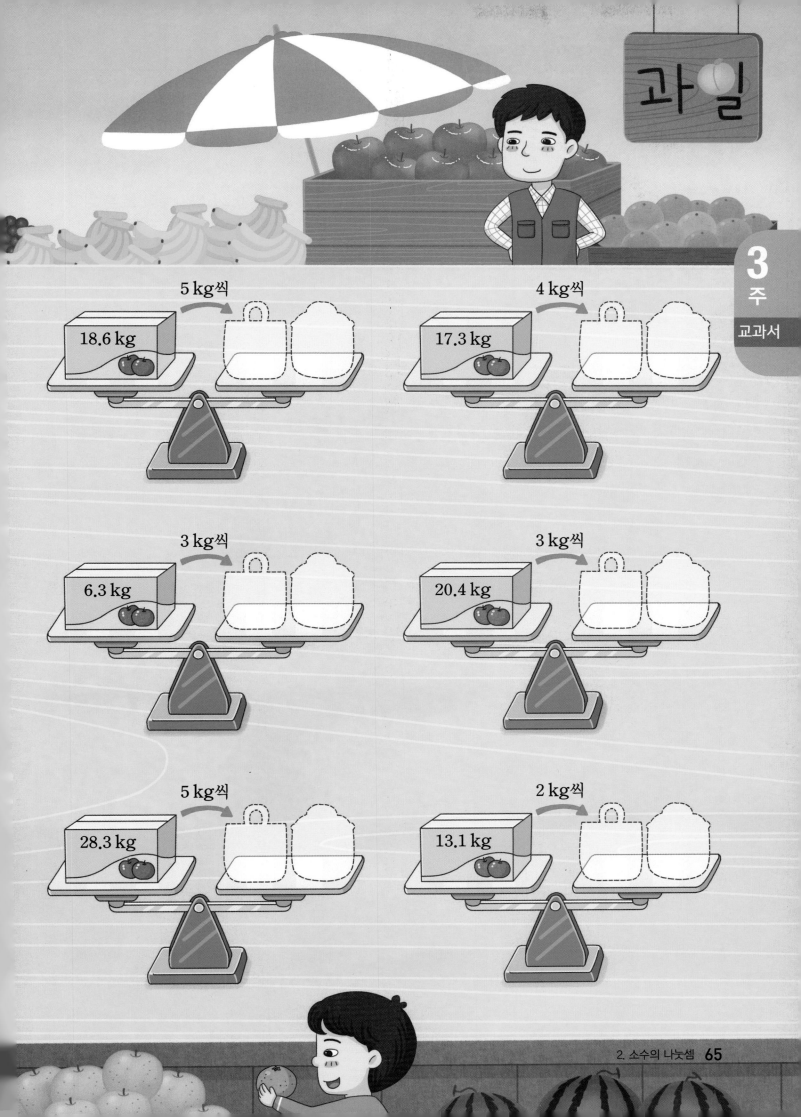

5 kg씩

18.6 kg

4 kg씩

17.3 kg

3 kg씩

6.3 kg

3 kg씩

20.4 kg

5 kg씩

28.3 kg

2 kg씩

13.1 kg

개념 1 자연수의 나눗셈을 이용하여 (소수)÷(소수) 계산하기

01 음료수 0.8 L를 0.2 L씩 컵에 나누어 담으려고 합니다. 그림을 0.2 L씩 나누어 본 후 컵이 몇 개 필요한지 구해 보세요.

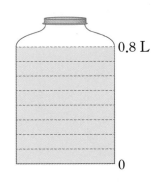

(   )

02 자연수의 나눗셈을 이용하여 □ 안에 알맞은 수를 써넣으세요.

$$344 \div 43 = 8$$
$$34.4 \div 4.3 = \boxed{}$$
$$3.44 \div 0.43 = \boxed{}$$

03 자연수의 나눗셈을 이용하여 □ 안에 알맞은 수를 써넣으세요.

(1) $1.8 \div 0.3$

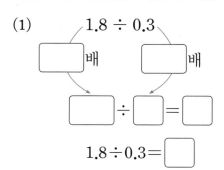

$$1.8 \div 0.3 = \boxed{}$$

(2) $2.03 \div 0.29$

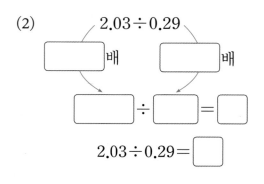

$$2.03 \div 0.29 = \boxed{}$$

개념 2 **자릿수가 같은 (소수)÷(소수) 알아보기**

04 보기와 같이 분수의 나눗셈으로 바꾸어 계산해 보세요.

> **보기**
>
> $$6.3 \div 0.9 = \frac{63}{10} \div \frac{9}{10} = 63 \div 9 = 7$$

$5.2 \div 0.4 =$ _____

05 빈칸에 알맞은 수를 써넣으세요.

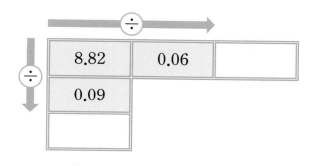

06 평행사변형의 넓이가 20.4 cm²입니다. 이 평행사변형의 밑변의 길이가 3.4 cm일 때 높이는 몇 cm인지 구해 보세요.

3.4 cm

(   )

개념**3** 자릿수가 다른 (소수)÷(소수) 알아보기

07 빈칸에 알맞은 수를 써넣으세요.

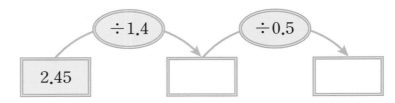

08 계산 결과를 비교하여 ○ 안에 >, =, <를 알맞게 써넣으세요.

(1) 8.33÷1.7 ○ 11.52÷2.4

(2) 7.92÷3.6 ○ 6.72÷3.2

09 다음은 잘못 계산한 식입니다. 바르게 계산해 보세요.

$$
\begin{array}{r}
0.2\,6 \\
6.4\,)\overline{1\,6.6\,4} \\
1\,2\,8 \\
\hline
3\,8\,4 \\
3\,8\,4 \\
\hline
0
\end{array}
\qquad\Rightarrow\qquad
\begin{array}{r}
\\
6.4\,)\overline{1\,6.6\,4} \\
\\
\end{array}
$$

개념 4 (자연수)÷(소수) 알아보기

10 보기와 같이 분수의 나눗셈으로 바꾸어 계산해 보세요.

> **보기**
>
> $$16 \div 0.32 = \frac{1600}{100} \div \frac{32}{100} = 1600 \div 32 = 50$$

$19 \div 4.75 =$ _____

11 계산 결과가 같은 것끼리 선으로 이어 보세요.

| $42 \div 1.5$ | • | | • | $4200 \div 15$ |
| $420 \div 1.5$ | • | | • | $420 \div 15$ |

12 길이가 28 m인 색 테이프를 0.7 m씩 잘라 리본을 만들려고 합니다. 리본을 몇 개 만들 수 있는지 식을 쓰고 답을 구해 보세요.

식 _____

답 _____

2 단계 교과서 개념 다지기

개념 5 몫을 반올림하여 나타내기

13 나눗셈식을 보고 물음에 답하세요.

$7.6 \div 6$

(1) 몫을 반올림하여 일의 자리까지 나타내어 보세요.

( )

(2) 몫을 반올림하여 소수 첫째 자리까지 나타내어 보세요.

( )

14 소수를 자연수로 나눈 몫을 반올림하여 소수 둘째 자리까지 나타내어 보세요.

1.6 7

( )

15 나눗셈의 몫을 반올림하여 소수 첫째 자리까지 나타낸 값이 더 큰 것에 ○표 하세요.

$9.7 \div 6$	$13.3 \div 9$
( )	( )

개념 6 나누어 주고 남는 양 알아보기

16 색 테이프 42.3 m를 한 사람에게 8 m씩 나누어 주려고 합니다. 나누어 줄 수 있는 사람 수와 남는 색 테이프의 길이는 몇 m인지 알아보려고 다음과 같이 계산했습니다. ☐ 안에 알맞은 수를 써넣으세요.

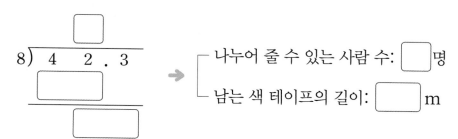

나누어 줄 수 있는 사람 수: ☐ 명

남는 색 테이프의 길이: ☐ m

17 나눗셈의 몫을 자연수 부분까지 구하여 ☐ 안에 쓰고 나머지를 ○ 안에 써 보세요.

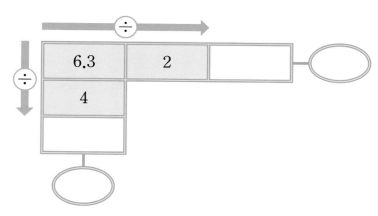

18 밀가루 47.2 kg을 5 kg씩 봉지에 나누어 담으려고 합니다. 나누어 담을 수 있는 봉지 수와 남는 밀가루는 몇 kg인지 구해 보세요.

(   ), (   )

⭐ **필요한 개수 구하기**

1 길이가 21 m인 벽에 가로가 3.5 m인 의자를 한 줄로 빈틈없이 놓으려고 합니다. 의자를 몇 개까지 놓을 수 있는지 구해 보세요.

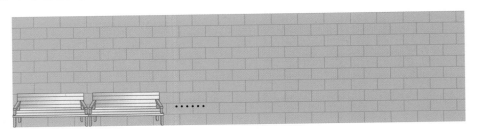

답 _____

개념 피드백 벽의 길이를 의자의 가로로 나누어 개수를 구합니다.

1-1 둘레가 1500 m인 원 모양의 공원이 있습니다. 이 공원의 둘레에 1.2 m 간격으로 울타리를 세우려고 합니다. 울타리를 몇 개 세울 수 있는지 구해 보세요. (단, 울타리의 두께는 생각하지 않습니다.)

(   )

1-2 길이가 66 m인 도로 한쪽에 2.75 m 간격으로 처음부터 끝까지 나무를 심었습니다. 심은 나무는 모두 몇 그루인지 구해 보세요. (단, 나무의 두께는 생각하지 않습니다.)

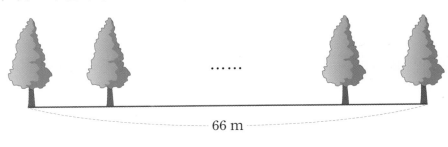

66 m

(   )

★ 몫의 소수점 아래 숫자의 규칙 찾기

2 다음 나눗셈의 몫의 소수 여덟째 자리 숫자를 구해 보세요.

$$25 \div 9$$

답 _____

개념 피드백 ① 규칙을 찾을 때까지 나눗셈을 합니다.
② 규칙을 보고 숫자를 구합니다.

2-1 다음 나눗셈의 몫의 소수 여섯째 자리 숫자를 구해 보세요.

$$1.2 \div 3.3$$

(   )

2-2 다음 나눗셈의 몫의 소수 일곱째 자리 숫자를 구해 보세요.

$$32 \div 2.2$$

(   )

2-3 다음 나눗셈의 몫의 소수 50째 자리 숫자를 구해 보세요.

$$50 \div 22$$

(   )

⭐ **도형의 넓이의 활용**

3 삼각형의 넓이가 39.95 cm²일 때 밑변의 길이는 몇 cm인지 구해 보세요.

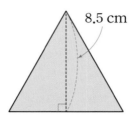
8.5 cm

답 _____

> **개념 피드백**
> (삼각형의 넓이)＝(밑변의 길이)×(높이)÷2
> ➡ (밑변의 길이)＝(삼각형의 넓이)×2÷(높이), (높이)＝(삼각형의 넓이)×2÷(밑변의 길이)

3-1 삼각형의 넓이가 23.85 cm²이고 밑변의 길이가 5.3 cm일 때, 높이는 몇 cm인지 구해 보세요.

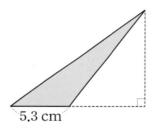
5.3 cm

(   )

3-2 평행사변형의 넓이가 19.14 cm²이고 밑변의 길이가 3.3 cm일 때, 높이는 몇 cm인지 구해 보세요.

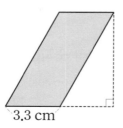
3.3 cm

(   )

★ 곱셈식 또는 나눗셈식에서 ☐ 안에 알맞은 수 구하기

4 ☐ 안에 알맞은 수를 구해 보세요.

$$\boxed{} \times 8.3 = 46.48$$

답 _____

개념
피드백

① ■ × ▲ = ● ⟶ ■ = ● ÷ ▲
　　　　　　　⟶ ▲ = ● ÷ ■

② ■ ÷ ▲ = ● ⟶ ■ = ● × ▲
　　　　　　　⟶ ▲ = ■ ÷ ●

4-1 ㉠에 알맞은 수를 구해 보세요.

$$5.3 \times \boxed{㉠} = 12.19$$

(　　　　　　　　　)

4-2 ☐ 안에 알맞은 수를 써넣으세요.

$$53.04 \div \boxed{} = 13.6$$

4-3 ☐ 안에 알맞은 수를 구해 보세요.

$$\boxed{} \times 4.8 = 14.88$$

(　　　　　　　　　)

★ 바르게 계산하기

5 어떤 수를 6.5로 나누어야 할 것을 잘못하여 5.2로 나누었더니 5가 되었습니다. 바르게 계산한 값을 구해 보세요.

답 _____

> **개념 피드백**
> ① 어떤 수를 □라 하고 잘못 계산한 식을 세웁니다.
> ② ①의 식을 이용하여 어떤 수를 구합니다.
> ③ 바르게 계산한 값을 구합니다.

5-1 어떤 수를 2.4로 나누어야 할 것을 잘못하여 2.4를 곱했더니 17.28이 되었습니다. 바르게 계산한 값을 구해 보세요.

( )

5-2 2.4를 어떤 수로 나누어야 할 것을 잘못하여 어떤 수를 곱했더니 12가 되었습니다. 바르게 계산한 값을 구해 보세요.

( )

5-3 3.2를 어떤 수로 나누어야 할 것을 잘못하여 어떤 수를 곱했더니 5.12가 되었습니다. 바르게 계산한 값을 구해 보세요.

( )

★ 모두 나누어 담는 데 필요한 개수 구하기

6 보리쌀 17.4 kg을 주머니 1개에 3 kg씩 나누어 담으려고 합니다. 보리쌀을 모두 담으려면 주머니는 적어도 몇 개 필요한지 구해 보세요.

답 _____

개념 피드백

① 나눗셈식을 세웁니다.
② 몫을 자연수까지만 구합니다.
③ 구한 몫에 1을 더합니다.

6-1 끈 48.2 m를 상자 1개에 6 m씩 나누어 담으려고 합니다. 끈을 모두 담으려면 상자는 적어도 몇 개 필요한지 구해 보세요.

(   )

6-2 참기름 13.4 L를 한 병에 2 L씩 나누어 담으려고 합니다. 참기름을 모두 담으려면 병은 적어도 몇 개 필요한지 구해 보세요.

(   )

1 영호는 일정한 빠르기로 1시간 30분 동안 4.95 km를 걸었습니다. 영호가 한 시간 동안 걸은 거리는 몇 km인지 구해 보세요.

✎ 구하려는 것, 주어진 것에 선을 그어 봅니다.

해결하기 1시간 30분을 몇 시간인지 소수로 나타내면

1시간 30분 $= 1\frac{30}{60}$ 시간 $= \boxed{}$ 시간입니다.

따라서 영호가 한 시간 동안 걸은 거리는

$4.95 \div \boxed{} = \boxed{}$ (km)입니다.

답 구하기 $\boxed{}$

2 오토바이가 일정한 빠르기로 2시간 15분 동안 92.25 km를 달렸습니다. 오토바이가 한 시간 동안 달린 거리는 몇 km인지 구해 보세요.

✎ 구하려는 것, 주어진 것에 선을 그어 봅니다.

해결하기

답 구하기

3 몫을 반올림하여 소수 첫째 자리까지 나타낸 값과 소수 둘째 자리까지 나타낸 값의 차를 구해 보세요.

$$1.4 \div 3$$

해결하기 1.4÷3=0.466……입니다.

몫을 반올림하여 소수 첫째 자리까지 나타내면 ☐ 입니다.

몫을 반올림하여 소수 둘째 자리까지 나타내면 ☐ 입니다.

따라서 차는 ☐ − ☐ = ☐ 입니다.

답 구하기 ☐

4 몫을 반올림하여 소수 첫째 자리까지 나타낸 값과 소수 둘째 자리까지 나타낸 값의 합을 구해 보세요.

$$27.5 \div 7$$

해결하기

답 구하기

준비물 붙임딱지

같은 종류의 물건을 파는 이웃한 두 가게 중 1 kg의 가격이 더 저렴한 가게에 붙임딱지를 붙여 보세요.

0.52 kg에 910원

0.46 kg에 690원

0.6 kg에 1050원

1.2 kg에 2160원

1.65 kg에
3300원

1.8 kg에
3240원

0.92 kg에
1380원

0.88 kg에
1100원

삼겹살

1.7 kg에
8160원

고기

2.45 kg에
12250원

준비물 붙임딱지

농장의 동물들이 나가지 못하도록 울타리를 세우려고 합니다.
필요한 기둥의 개수만큼 울타리에 기둥 붙임딱지를 붙여 보세요.

둘레: 10.5 m
간격: 1.5 m

둘레: 26.08 m
간격: 3.26 m

기둥 세우기

둘레: 25.2 m
간격: 2.8 m

둘레: 75.2 m
간격: 9.4 m

1 연우는 둘레가 $18\,\text{cm}$이고 넓이가 $27\,\text{cm}^2$인 정오각형 모양의 쿠키를 만들어 5등분하였습니다. 정오각형의 한 변이 삼각형의 밑변일 때 삼각형의 높이는 몇 cm인지 구해 보세요.

1 정오각형의 둘레를 이용하여 삼각형의 한 변의 길이를 구해 보세요.

(   )

2 정오각형의 넓이를 이용하여 삼각형의 넓이를 구해 보세요.

(   )

3 **1**에서 구한 길이가 삼각형의 밑변의 길이일 때 삼각형의 높이를 구해 보세요.

(   )

2 동호는 길이가 6.84 m인 나무 막대를 76 cm씩 자르고, 민수는 길이가 4.16 m인 나무 막대를 52 cm씩 잘랐습니다. 나무토막의 수가 더 많은 사람은 누구인지 알아보세요.

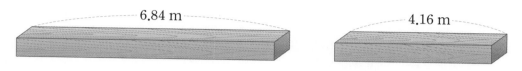

6.84 m   4.16 m

4
주
사고력

① 76 cm와 52 cm는 각각 몇 m인지 구해 보세요.

(   ), (   )

② 나무 막대 6.84 m를 76 cm씩 자르면 모두 몇 토막이 나오는지 구해 보세요.

(   )

③ 나무 막대 4.16 m를 52 cm씩 자르면 모두 몇 토막이 나오는지 구해 보세요.

(   )

④ 나무토막의 수가 더 많은 사람은 누구인지 써 보세요.

(   )

3 보영이는 한 시간에 2.7 km씩 걷는다고 합니다. 보영이가 집에서 할머니 댁까지 걸어서 다녀오는 데 걸리는 시간은 몇 시간 몇 분인지 구해 보세요.

① 보영이가 할머니 댁에 다녀오는 거리는 몇 km인지 구해 보세요.

(   )

② 보영이가 할머니 댁에 다녀오는 데 걸리는 시간은 몇 시간인지 소수로 나타내어 보세요.

(   )

③ ②에서 구한 시간은 몇 시간 몇 분인지 구해 보세요.

(   )

4 과일 가게에서 사과 바구니와 감 바구니를 각각 6000원에 팔고 있습니다. 사과와 감 중 1개의 가격이 더 비싼 과일은 무엇인지 알아보세요. (단, 바구니만의 무게는 생각하지 않습니다.)

사과 1개의 무게는
0.34 kg이고
사과 바구니의 무게는
1.36 kg입니다.

현서

감 1개의 무게는
0.43 kg이고
감 바구니의 무게는
2.58 kg입니다.

은주

4
주

사고력

① 사과 바구니에 들어 있는 사과의 개수를 구해 보세요.

( )

② 사과 1개의 가격을 구해 보세요.

( )

③ 감 바구니에 들어 있는 감의 개수를 구해 보세요.

( )

④ 감 1개의 가격을 구해 보세요.

( )

⑤ 사과와 감 중 1개의 가격이 더 비싼 과일을 써 보세요.

( )

1 보기 와 같이 ⬭ 안의 수를 주어진 방법으로 계산한 결과를 △ 안에 써넣으세요.

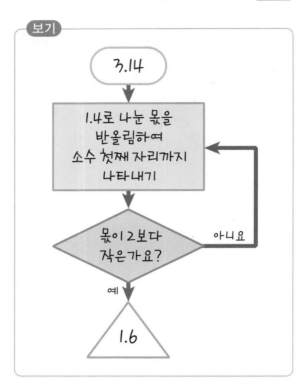

보기

3.14

1.4로 나눈 몫을
반올림하여
소수 첫째 자리까지
나타내기

몫이 2보다
작은가요?

아니요

예

1.6

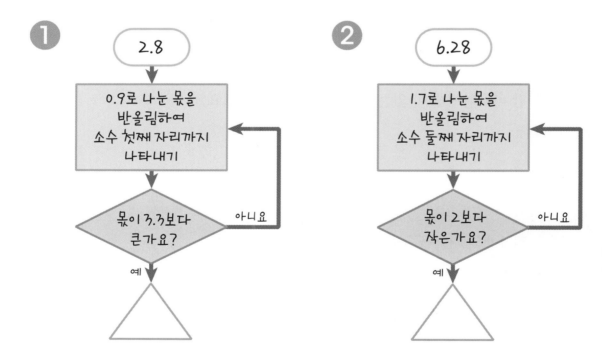

① 2.8

0.9로 나눈 몫을
반올림하여
소수 첫째 자리까지
나타내기

몫이 3.3보다
큰가요?

아니요

예

② 6.28

1.7로 나눈 몫을
반올림하여
소수 둘째 자리까지
나타내기

몫이 2보다
작은가요?

아니요

예

2 기호 ⊙에 대하여 '가⊙나＝(가÷나)÷가'라고 약속할 때 다음을 계산해 보세요.

❶ 22.5 ⊙ 0.5

(   )

❷ 80 ⊙ 1.25

(   )

3 기호 ◈에 대하여 '가◈나＝(가＋나)÷(가－나)'라고 약속할 때 다음을 계산해 보세요.

❶ 42.35 ◈ 30.25

(   )

❷ 15.42 ◈ 14.82

(   )

4주 사고력

4 세 정육점에서 소고기를 다른 가격으로 팔고 있습니다. 세 정육점 중 소고기 1 kg의 가격이 가장 저렴한 곳은 어디인지 구해 보세요.

① 가 정육점의 소고기 1 kg의 가격을 구해 보세요.

( )

② 나 정육점의 소고기 1 kg의 가격을 구해 보세요.

( )

③ 다 정육점의 소고기 1 kg의 가격을 구해 보세요.

( )

④ 소고기 1 kg의 가격이 가장 저렴한 곳은 어디인지 써 보세요.

( )

5 규칙을 찾아 ㉠과 ㉡에 알맞은 수를 각각 구해 보세요.

| 20.25 | 13.5 | 9 | ㉠ | ㉡ |

① 규칙을 찾아 써 보세요.

규칙 _____

_____

② ㉠과 ㉡에 알맞은 수를 각각 구해 보세요.

㉠ (   )

㉡ (   )

6 규칙을 찾아 ♥에 알맞은 수를 구해 보세요.

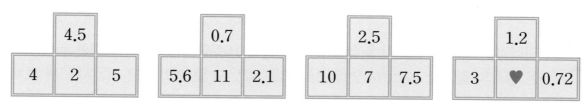

| | 4.5 | | | | 0.7 | | | | 2.5 | | | | 1.2 | |
| 4 | 2 | 5 | | 5.6 | 11 | 2.1 | | 10 | 7 | 7.5 | | 3 | ♥ | 0.72 |

① 규칙을 찾아 써 보세요.

규칙 _____

_____

② ♥에 알맞은 수를 구해 보세요.

(   )

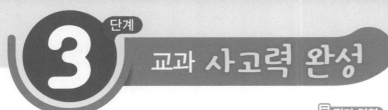

평가 영역 ☐개념 이해력 ☐개념 응용력 ☐창의력 ☑문제 해결력

1 지구의 반지름을 1이라고 보았을 때 태양과 각 행성의 반지름을 나타낸 것입니다. 해왕성의 반지름을 1이라고 본다면 토성의 반지름은 얼마인지 반올림하여 소수 첫째 자리까지 나타내어 보세요.

행성	반지름	행성	반지름	행성	반지름
태양	109	지구	1	토성	9.4
수성	0.4	화성	0.5	천왕성	4
금성	0.9	목성	11.2	해왕성	3.9

(   )

평가 영역 ☐개념 이해력 ☑개념 응용력 ☐창의력 ☐문제 해결력

2 길이가 20 cm인 양초가 있습니다. 이 양초는 10분에 1.5 cm씩 일정한 빠르기로 탈 때 남은 양초의 길이가 14 cm라면 양초에 불을 붙인 지 몇 분이 지난 것인지 구해 보세요.

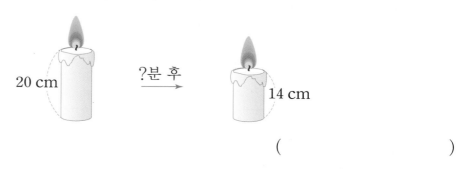

(   )

정답과 풀이 p.23

3 한 변의 길이가 4.5 m인 정사각형 모양의 꽃밭이 있습니다. 이 꽃밭의 세로를 3 m 줄여서 직사각형 모양을 만든다면 가로는 몇 m 늘여야 처음 꽃밭의 넓이와 같게 되는지 구해 보세요.

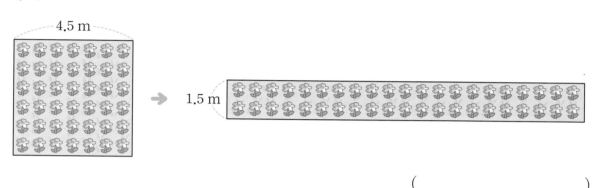

(   )

4 대화를 보고 물의 양을 구해 보세요.

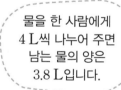

물을 한 사람에게 5 L씩 나누어 주면 남는 물의 양은 0.8 L입니다.

물을 한 사람에게 4 L씩 나누어 주면 남는 물의 양은 3.8 L입니다.

물의 양은 30 L 이상 40 L 이하입니다.

 강호

 민기

 준우

(   )

1 ☐ 안에 알맞은 수를 써넣으세요.

$$315 \div 9 = \boxed{}$$

$$31.5 \div 0.9 = \boxed{}$$

$$3.15 \div 0.09 = \boxed{}$$

2 계산해 보세요.

(1)

$$2.9 \overline{)8.99}$$

(2)

$$9.6 \overline{)240}$$

3 보기 와 같이 분수의 나눗셈으로 바꾸어 계산해 보세요.

보기

$$7.29 \div 0.09 = \frac{729}{100} \div \frac{9}{100} = 729 \div 9 = 81$$

$$1.56 \div 0.06 = \underline{}$$

4 ☐ 안에 알맞은 수를 써넣으세요.

$$9 \div 2.25 = \frac{\boxed{}}{100} \div \frac{\boxed{}}{100} = \boxed{} \div \boxed{} = \boxed{}$$

5 귤 15.1 kg을 한 사람에게 3 kg씩 나누어 줄 때 나누어 줄 수 있는 사람 수와 남는 귤의 양을 구해 보세요.

(   ), (   )

6 큰 수를 작은 수로 나눈 몫을 구해 보세요.

| 2.7 | 3.51 |

(   )

7 잘못 계산한 곳을 찾아 바르게 계산해 보세요.

$$2.8 \overline{)14} \quad \begin{array}{r} 0.5 \\ 1\,4\,0 \\ \hline 0 \end{array}$$

→ $2.8 \overline{)14}$

8 계산 결과를 비교하여 ○ 안에 >, =, <를 알맞게 써넣으세요.

78.12÷9.3 31.45÷3.7

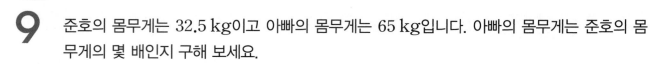

9 준호의 몸무게는 32.5 kg이고 아빠의 몸무게는 65 kg입니다. 아빠의 몸무게는 준호의 몸무게의 몇 배인지 구해 보세요.

(   )

10 참기름 47.2 L를 병 한 개에 5.9 L씩 담으려고 합니다. 필요한 병은 몇 개인지 식을 쓰고 답을 구해 보세요.

식 _____

답 _____

11 □ 안에 알맞은 수를 구해 보세요.

$$5 \div \boxed{} = 1.25$$

(   )

12 어떤 수를 1.2로 나누어야 할 것을 잘못하여 1.2를 곱했더니 7.2가 되었습니다. 바르게 계산한 값을 구해 보세요.

(   )

13 넓이가 12.72 m^2이고 밑변의 길이가 5.3 m인 평행사변형이 있습니다. 이 평행사변형의 높이는 몇 m인지 구해 보세요.

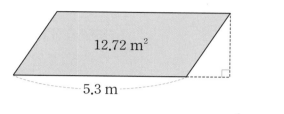

(   )

14 사과 285.24 kg을 한 상자에 12 kg씩 담으려고 합니다. 사과를 모두 담으려면 상자는 적어도 몇 개 필요한지 구해 보세요.

(   )

15 계산 결과를 비교하여 ◯ 안에 $>$, $=$, $<$를 알맞게 써넣으세요.

| $16 \div 7$의 몫을 반올림하여 소수 첫째 자리까지 나타낸 수 | ◯ | $16 \div 7$ |

16 나눗셈의 몫을 반올림하여 소수 첫째 자리까지 나타낸 수를 ㉠, 소수 둘째 자리까지 나타낸 수를 ㉡이라고 할 때, ㉠과 ㉡의 차를 구해 보세요.

$$8.57 \div 3.6$$

(   )

17 광석이는 한 시간에 3.5 km씩 걷는다고 합니다. 광석이가 집에서 할머니 댁까지 걸어서 다녀오는 데 걸리는 시간은 몇 시간 몇 분인지 구해 보세요.

2.45 km

광석이네 집   할머니 댁

(   )

18 길이가 25 cm인 양초가 있습니다. 이 양초는 4분에 2 cm씩 일정한 빠르기로 탈 때 남은 양초의 길이가 12 cm라면 양초에 불을 붙인 지 몇 분이 지난 것인지 구해 보세요.

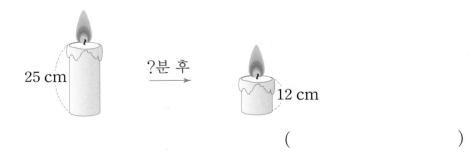

25 cm   ?분 후   12 cm

(   )

1 번개가 친 곳에서 떨어진 곳에서는 번개가 치고 시간이 지나야 천둥소리를 들을 수 있습니다. 소리가 1초에 0.34 km를 갈 때 물음에 답하세요.

(1) 연희가 있는 곳은 번개가 친 곳에서 1.02 km 떨어진 곳입니다. 연희가 번개를 보고 몇 초 후에 천둥소리를 듣게 되는지 구해 보세요.

(   )

(2) 지수가 있는 곳은 번개가 친 곳에서 2.38 km 떨어진 곳입니다. 지수가 번개를 보고 몇 초 후에 천둥소리를 듣게 되는지 구해 보세요.

(   )

Memo

문제의 알맞은 곳에 붙임딱지를 붙여보세요.

14～15쪽

$1\frac{1}{7}$

$\frac{5}{9}$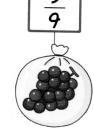

$3\frac{3}{5}$

8

3

7

$1\frac{1}{20}$

$1\frac{3}{32}$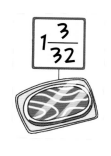

15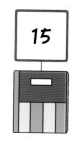

10

$\frac{5}{6}$

$\frac{20}{21}$

 6

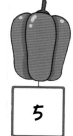 5

 $1\frac{13}{15}$

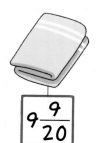 $9\frac{9}{20}$

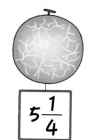 $5\frac{1}{4}$

 $2\frac{2}{5}$

 $1\frac{3}{4}$

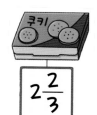 $2\frac{2}{3}$

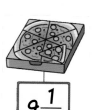 $9\frac{1}{3}$

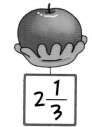 $2\frac{1}{3}$

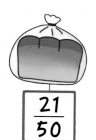 $\frac{21}{50}$

 $2\frac{11}{12}$

16～17쪽

$1\frac{13}{14}$

$4\frac{1}{8}$

$9\frac{9}{20}$

$10\frac{1}{8}$

14

$1\frac{1}{24}$

$1\frac{1}{6}$

$2\frac{2}{5}$

5	8	$1\frac{23}{32}$	$6\frac{3}{10}$
$7\frac{7}{15}$	10	18	$\frac{12}{25}$
$1\frac{7}{9}$	$2\frac{1}{4}$	$3\frac{3}{5}$	$3\frac{17}{21}$

$1\frac{5}{8}$	$2\frac{2}{27}$	$4\frac{1}{5}$	12
$\frac{6}{7}$	$2\frac{1}{2}$	$3\frac{1}{5}$	27
$1\frac{7}{8}$	$5\frac{3}{4}$	$6\frac{12}{13}$	45
$1\frac{11}{24}$	$1\frac{13}{15}$	$5\frac{1}{18}$	20

32~33쪽

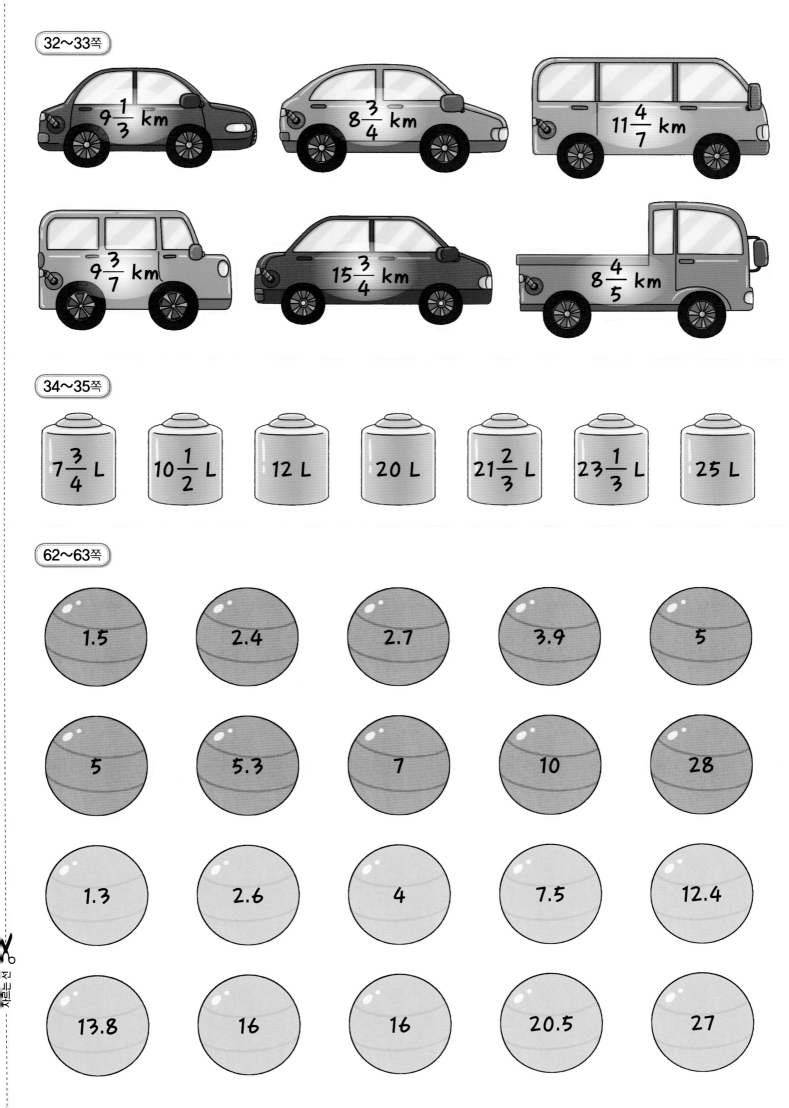

$9\frac{1}{3}$ km

$8\frac{3}{4}$ km

$11\frac{4}{7}$ km

$9\frac{3}{7}$ km

$15\frac{3}{4}$ km

$8\frac{4}{5}$ km

34~35쪽

$7\frac{3}{4}$ L

$10\frac{1}{2}$ L

12 L

20 L

$21\frac{2}{3}$ L

$23\frac{1}{3}$ L

25 L

62~63쪽

1.5

2.4

2.7

3.9

5

5

5.3

7

10

28

1.3

2.6

4

7.5

12.4

13.8

16

16

20.5

27

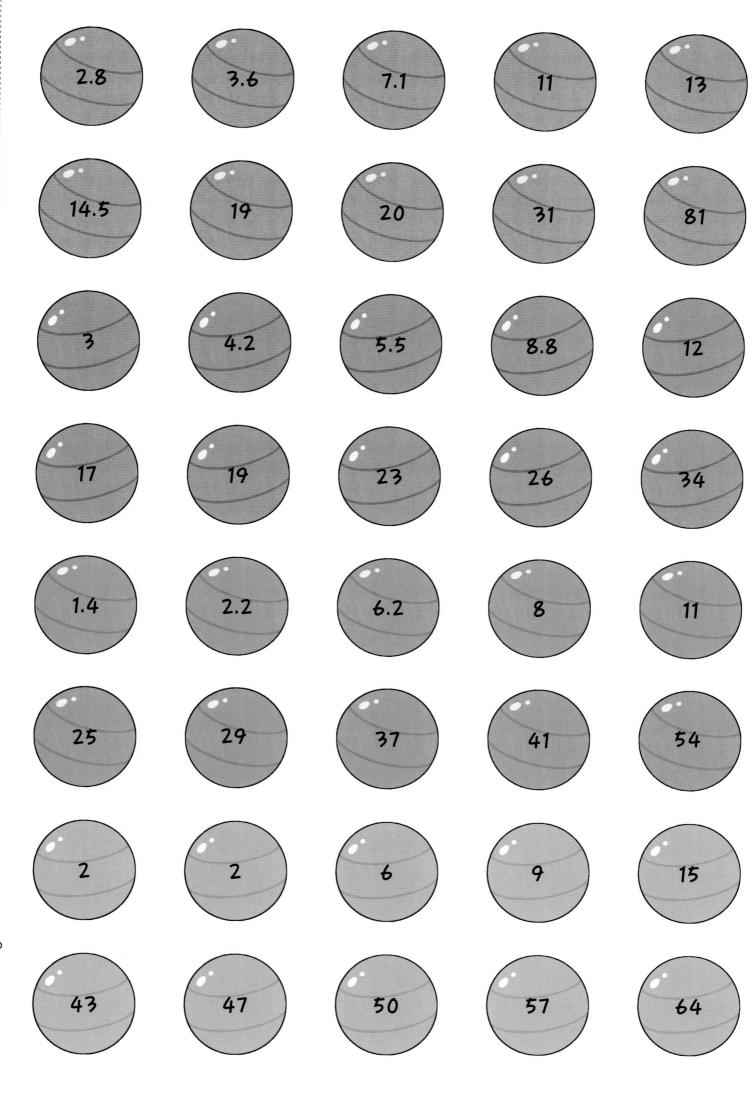

64~65쪽

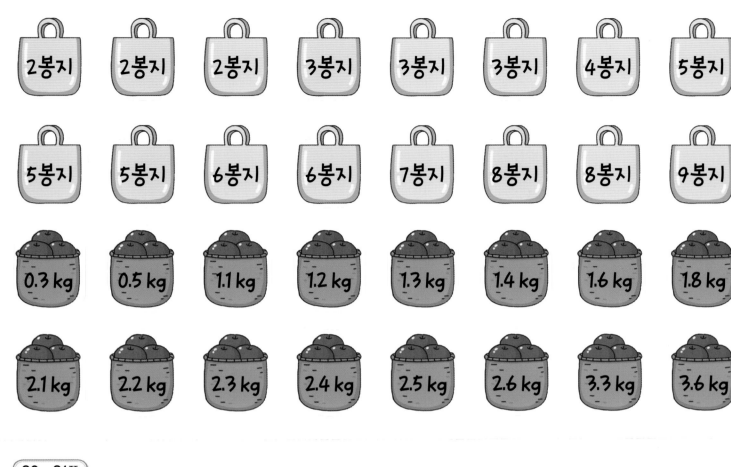

2봉지 2봉지 2봉지 3봉지 3봉지 3봉지 4봉지 5봉지

5봉지 5봉지 6봉지 6봉지 7봉지 8봉지 8봉지 9봉지

0.3 kg 0.5 kg 1.1 kg 1.2 kg 1.3 kg 1.4 kg 1.6 kg 1.8 kg

2.1 kg 2.2 kg 2.3 kg 2.4 kg 2.5 kg 2.6 kg 3.3 kg 3.6 kg

80~81쪽

82~83쪽

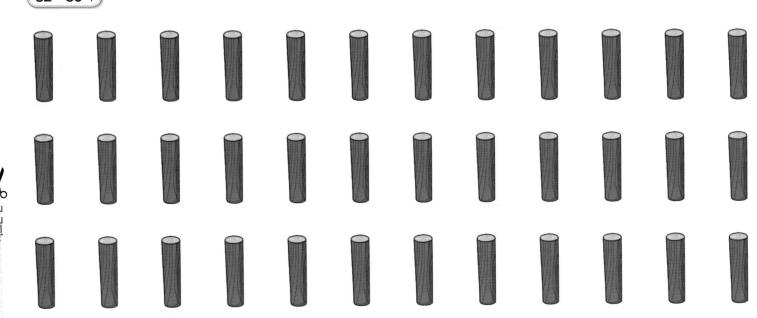

정답과 풀이

수학 6-2

열심히
풀었으니까,
한 번 맞춰 볼까?

1 분수의 나눗셈

단원과 관련된 분수 이야기를 살펴보아요

똑같이 나누기

동호네 모둠 학생들이 학교 축제 때 직접 갈아서 만든 딸기 주스를 팔려고 합니다. 딸기를 열심히 갈아서 딸기 주스를 만들었더니 $\frac{4}{5}$ L가 되었습니다. 딸기 주스를 한 컵에 $\frac{1}{5}$ L씩 담아서 판다면 몇 컵까지 팔 수 있는지 알아볼까요?

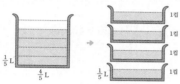

딸기 주스 $\frac{4}{5}$ L를 그림에 나타내어 보면 왼쪽 그림과 같습니다. $\frac{4}{5}$ 는 $\frac{1}{5}$ 이 4개이고, $\frac{4}{5}$ 에서 $\frac{1}{5}$ 을 4번 덜어 낼 수 있습니다. 딸기 주스 $\frac{4}{5}$ L를 한 컵에 $\frac{1}{5}$ L씩 담아서 판다면 4컵까지 팔 수 있습니다. 따라서 $\frac{4}{5} \div \frac{1}{5} = 4$ 임을 알 수 있습니다.

❖ • 우유: $\frac{3}{4}$ 은 $\frac{1}{4}$ 이 3개이므로 $\frac{3}{4} \div \frac{1}{4} = 3$(컵)입니다.
• 주스: $\frac{5}{6}$ 는 $\frac{1}{6}$ 이 5개이므로 $\frac{5}{6} \div \frac{1}{6} = 5$(컵)입니다.

🔎 음료수를 컵에 똑같이 나누어 담았을 때 컵의 수로 알맞은 것끼리 선으로 이어 보세요.

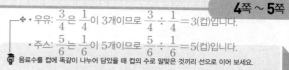

• 콜라: $\frac{4}{7}$ 는 $\frac{1}{7}$ 이 4개이므로 $\frac{4}{7} \div \frac{1}{7} = 4$(컵)입니다.

🔎 설탕 $\frac{5}{7}$ kg을 설탕 $\frac{2}{7}$ kg을 넣으면 가득 차는 통에 나누어 담으면 몇 통이 되는지 알아보려고 합니다. □ 안에 알맞은 수를 써넣으세요.

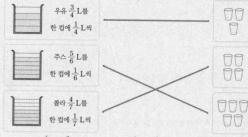

설탕 $\frac{5}{7}$ kg을 그림에 나타내어 보면 왼쪽 그림과 같습니다. $\frac{5}{7}$ 를 $\frac{2}{7}$ 크기의 통에 나누어 담으면 **2** 통과 $\frac{1}{2}$ 통만큼 채울 수 있습니다. 설탕 $\frac{2}{7}$ kg을 넣으면 가득 차는 통에 설탕 $\frac{5}{7}$ kg을 나누어 담으면 **2** $\frac{1}{2}$ 통이 됩니다.

따라서 $\frac{5}{7} \div \frac{2}{7} = $ **2** $\frac{1}{2}$ 임을 알 수 있습니다.

1 단계 교과서 개념 잡기

개념 1 분모가 같은 (분수)÷(단위분수) 알아보기

• $\frac{3}{4} \div \frac{1}{4}$ 의 계산

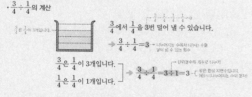

$\frac{3}{4}$ 에서 $\frac{1}{4}$ 을 3번 덜어 낼 수 있습니다.

➡ $\frac{3}{4} \div \frac{1}{4} = 3$

$\frac{3}{4}$ 은 $\frac{1}{4}$ 이 3개입니다.
$\frac{1}{4}$ 은 $\frac{1}{4}$ 이 1개입니다.

$\frac{3}{4} \div \frac{1}{4} = 3 \div 1 = 3$

개념 2 분자끼리 나누어떨어지는 분모가 같은 (분수)÷(분수) 알아보기

• $\frac{6}{7} \div \frac{3}{7}$ 의 계산

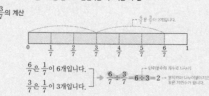

$\frac{6}{7}$ 은 $\frac{1}{7}$ 이 6개입니다.
$\frac{3}{7}$ 은 $\frac{1}{7}$ 이 3개입니다.

$\frac{6}{7} \div \frac{3}{7} = 6 \div 3 = 2$

개념 3 분자끼리 나누어떨어지지 않는 분모가 같은 (분수)÷(분수) 알아보기

• $\frac{7}{9} \div \frac{2}{9}$ 의 계산

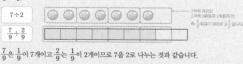

$\frac{7}{9}$ 은 $\frac{1}{9}$ 이 7개이고 $\frac{2}{9}$ 는 $\frac{1}{9}$ 이 2개이므로 7을 2로 나누는 것과 같습니다.

➡ $\frac{7}{9} \div \frac{2}{9} = 7 \div 2 = \frac{7}{2} = 3\frac{1}{2}$

> 분모가 같은 분수끼리의 나눗셈은 분자끼리의 나눗셈과 같습니다.

개념 확인 문제

정답과 풀이 p.1

1 □ 안에 알맞은 수를 써넣으세요.

$\frac{4}{5} \div \frac{1}{5}$ 에서 $\frac{4}{5}$ 는 $\frac{1}{5}$ 이 **4** 개이므로 $\frac{4}{5}$ 에서 $\frac{1}{5}$ 을 **4** 번 덜어 낼 수 있습니다.

➡ $\frac{4}{5} \div \frac{1}{5} = $ **4**

❖ $\frac{4}{5}$ 에서 $\frac{1}{5}$ 을 덜어 낼 수 있는 횟수가 $\frac{4}{5} \div \frac{1}{5}$ 의 몫이 됩니다.

2 □ 안에 알맞은 수를 써넣으세요.

(1) $\frac{9}{11}$ 는 $\frac{1}{11}$ 이 **9** 개입니다.
$\frac{3}{11}$ 는 $\frac{1}{11}$ 이 **3** 개입니다.

➡ $\frac{9}{11} \div \frac{3}{11} = $ **3**

(2) $\frac{14}{15}$ 는 $\frac{1}{15}$ 이 **14** 개입니다.
$\frac{2}{15}$ 는 $\frac{1}{15}$ 이 **2** 개입니다.

➡ $\frac{14}{15} \div \frac{2}{15} = $ **7**

❖ (1) $\frac{9}{11}$ 는 $\frac{1}{11}$ 이 9개이고 $\frac{3}{11}$ 은 $\frac{1}{11}$ 이 3개이므로 $\frac{9}{11} \div \frac{3}{11}$ 은 $9 \div 3$ 을 계산한 결과와 같습니다.

3-1 □ 안에 알맞은 수를 써넣으세요.

(1) $\frac{12}{13} \div \frac{5}{13} = $ **12** $\div$ **5** $= \frac{12}{5} = 2\frac{2}{5}$

(2) $\frac{17}{21} \div \frac{13}{21} = $ **17** $\div$ **13** $= \frac{17}{13} = 1\frac{4}{13}$

❖ 분모가 같은 분수끼리의 나눗셈은 분자끼리의 나눗셈과 같습니다.

3-2 계산해 보세요.

(1) $\frac{3}{8} \div \frac{7}{8} = \frac{3}{7}$

(2) $\frac{5}{9} \div \frac{8}{9} = \frac{5}{8}$

(3) $\frac{10}{11} \div \frac{3}{11} = 3\frac{1}{3}$

(4) $\frac{14}{17} \div \frac{9}{17} = 1\frac{5}{9}$

❖ (1) $\frac{3}{8} \div \frac{7}{8} = 3 \div 7 = \frac{3}{7}$ (2) $\frac{5}{9} \div \frac{8}{9} = 5 \div 8 = \frac{5}{8}$

(3) $\frac{10}{11} \div \frac{3}{11} = 10 \div 3 = \frac{10}{3} = 3\frac{1}{3}$

(4) $\frac{14}{17} \div \frac{9}{17} = 14 \div 9 = \frac{14}{9} = 1\frac{5}{9}$

1단계 교과서 개념 잡기

개념 4 분자끼리 나누어떨어지는 분모가 다른 (분수)÷(분수) 알아보기

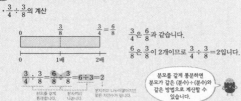

- $\dfrac{3}{4} \div \dfrac{3}{8}$ 의 계산

$\dfrac{3}{4}$ 은 $\dfrac{6}{8}$ 과 같습니다.

$\dfrac{6}{8}$ 은 $\dfrac{3}{8}$ 이 2개이므로 $\dfrac{3}{4} \div \dfrac{3}{8}$ =2입니다.

$\dfrac{3}{4} \div \dfrac{3}{8} = \dfrac{6}{8} \div \dfrac{3}{8} = 6 \div 3 = 2$

분모를 같게 통분하면 분모가 같은 (분수)÷(분수)와 같은 방법으로 계산할 수 있습니다.

개념 5 분자끼리 나누어떨어지지 않는 분모가 다른 (분수)÷(분수) 알아보기

- $\dfrac{5}{6} \div \dfrac{2}{9}$ 의 계산

$\dfrac{5}{6} \div \dfrac{2}{9} = \dfrac{15}{18} \div \dfrac{4}{18}$ … 분모를 같게 통분합니다.

$= 15 \div 4$ … 분자끼리 나눕니다.

$= \dfrac{15}{4} = 3\dfrac{3}{4}$ … 몫을 분수로 나타냅니다.

분모가 다른 (분수)÷(분수)의 계산
분모를 같게 통분합니다. ➡ 분자끼리의 나눗셈을 계산합니다.

- $\dfrac{5}{6}$ 와 $\dfrac{2}{9}$ 를 통분하기

방법1 두 분모의 곱을 공통분모로 하여 통분하기

$\left(\dfrac{5}{6}, \dfrac{2}{9}\right) = \left(\dfrac{5\times9}{6\times9}, \dfrac{2\times6}{9\times6}\right) \rightarrow \left(\dfrac{45}{54}, \dfrac{12}{54}\right)$

방법2 두 분모의 최소공배수를 공통분모로 하여 통분하기

6과 9의 최소공배수: 18

$\left(\dfrac{5}{6}, \dfrac{2}{9}\right) = \left(\dfrac{5\times3}{6\times3}, \dfrac{2\times2}{9\times2}\right) \rightarrow \left(\dfrac{15}{18}, \dfrac{4}{18}\right)$

개념 확인 문제

정답과 풀이 p.2

4-1 그림을 보고 □ 안에 알맞은 수를 써넣으세요.

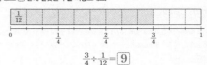

$\dfrac{3}{4} \div \dfrac{1}{12} = \boxed{9}$

✧ $\dfrac{3}{4}$ 에는 $\dfrac{1}{12}$ 이 9번 들어갑니다. 따라서 $\dfrac{3}{4} \div \dfrac{1}{12} = 9$입니다.

4-2 □ 안에 알맞은 수를 써넣으세요.

(1) $\dfrac{2}{3} \div \dfrac{2}{21} = \dfrac{\boxed{14}}{21} \div \dfrac{2}{21} = \boxed{14} \div 2 = \boxed{7}$

(2) $\dfrac{8}{9} \div \dfrac{4}{27} = \dfrac{\boxed{24}}{27} \div \dfrac{4}{27} = \boxed{24} \div 4 = \boxed{6}$

✧ 분모가 다른 (분수)÷(분수)는 분모를 같게 통분하여 계산합니다.

5-1 보기 와 같이 계산해 보세요.

보기
$\dfrac{2}{3} \div \dfrac{3}{5} = \dfrac{10}{15} \div \dfrac{9}{15} = 10 \div 9 = \dfrac{10}{9} = 1\dfrac{1}{9}$

$\dfrac{8}{9} \div \dfrac{5}{7} = \dfrac{56}{63} \div \dfrac{45}{63} = 56 \div 45 = \dfrac{56}{45} = 1\dfrac{11}{45}$

5-2 계산해 보세요.

(1) $\dfrac{4}{7} \div \dfrac{3}{4} = \dfrac{16}{21}$ (2) $\dfrac{3}{5} \div \dfrac{5}{8} = \dfrac{24}{25}$

(3) $\dfrac{7}{8} \div \dfrac{5}{6} = 1\dfrac{1}{20}$ (4) $\dfrac{9}{14} \div \dfrac{5}{12} = 1\dfrac{19}{35}$

✧ (3) $\dfrac{7}{8} \div \dfrac{5}{6} = \dfrac{21}{24} \div \dfrac{20}{24} = 21 \div 20 = \dfrac{21}{20} = 1\dfrac{1}{20}$

(4) $\dfrac{9}{14} \div \dfrac{5}{12} = \dfrac{54}{84} \div \dfrac{35}{84} = 54 \div 35 = \dfrac{54}{35} = 1\dfrac{19}{35}$

1단계 교과서 개념 잡기

개념 6 (자연수)÷(분수) 알아보기

- 막대 $\dfrac{3}{4}$ m의 무게가 6 kg일 때 막대 1 m의 무게 구하기

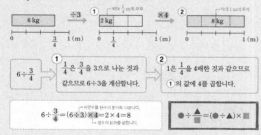

$6 \div \dfrac{3}{4}$ → ① $\dfrac{1}{4}$ 은 $\dfrac{3}{4}$ 을 3으로 나눈 것과 같으므로 6÷3을 계산합니다. → ② 1은 $\dfrac{1}{4}$ 을 4배한 것과 같으므로 ①의 값에 4를 곱합니다.

$6 \div \dfrac{3}{4} = (6 \div 3) \times 4 = 2 \times 4 = 8$

$● \div \dfrac{▲}{■} = (● \div ▲) \times ■$

개념 7 (분수)÷(분수)를 (분수)×(분수)로 나타내기

- 통의 $\dfrac{2}{3}$ 를 채운 소금의 무게가 $\dfrac{3}{5}$ kg일 때 한 통을 가득 채운 소금의 무게 구하기

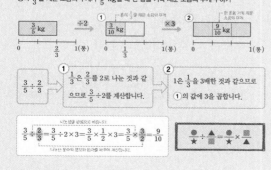

$\dfrac{3}{5} \div \dfrac{2}{3}$ → ① $\dfrac{1}{3}$ 은 $\dfrac{2}{3}$ 를 2로 나눈 것과 같으므로 $\dfrac{3}{5} \div 2$ 를 계산합니다. → ② 1은 $\dfrac{1}{3}$ 을 3배한 것과 같으므로 ①의 값에 3을 곱합니다.

$\dfrac{3}{5} \div \dfrac{2}{3} = \dfrac{3}{5} \div 2 \times 3 = \dfrac{3}{5} \times \dfrac{1}{2} \times 3 = \dfrac{3}{5} \times \dfrac{3}{2} = \dfrac{9}{10}$

$\dfrac{●}{★} \div \dfrac{▲}{■} = \dfrac{●}{★} \times \dfrac{■}{▲}$

개념 확인 문제

정답과 풀이 p.2

6-1 □ 안에 알맞은 수를 써넣으세요.

(1) $9 \div \dfrac{3}{5} = (9 \div \boxed{3}) \times \boxed{5} = \boxed{15}$

(2) $10 \div \dfrac{2}{7} = (10 \div \boxed{2}) \times \boxed{7} = \boxed{35}$

✧ (자연수)÷(분수)를 계산할 때에는 자연수를 분수의 분자로 나눈 결과에 분수의 분모를 곱합니다.

6-2 계산해 보세요.

(1) $5 \div \dfrac{5}{6} = 6$ (2) $6 \div \dfrac{2}{3} = 9$

(3) $8 \div \dfrac{2}{7} = 28$ (4) $24 \div \dfrac{8}{9} = 27$

✧ (3) $8 \div \dfrac{2}{7} = (8 \div 2) \times 7 = 28$

(4) $24 \div \dfrac{8}{9} = (24 \div 8) \times 9 = 27$

7-1 □ 안에 알맞은 수를 써넣어 나눗셈식을 곱셈식으로 나타내어 보세요.

(1) $\dfrac{5}{7} \div \dfrac{3}{5} = \dfrac{5}{7} \div \boxed{3} \times \boxed{5} = \dfrac{5}{7} \times \dfrac{1}{\boxed{3}} \times \boxed{5} = \dfrac{5}{7} \times \dfrac{\boxed{5}}{\boxed{3}}$

(2) $\dfrac{5}{6} \div \dfrac{4}{7} = \dfrac{5}{6} \div \boxed{4} \times \boxed{7} = \dfrac{5}{6} \times \dfrac{1}{\boxed{4}} \times \boxed{7} = \dfrac{5}{6} \times \dfrac{\boxed{7}}{\boxed{4}}$

✧ (분수)÷(분수)는 나눗셈을 곱셈으로 바꾸고 나누는 분수의 분모와 분자를 바꾸어 계산합니다.

7-2 나눗셈식을 곱셈식으로 나타내어 계산해 보세요.

(1) $\dfrac{2}{5} \div \dfrac{3}{4} = \dfrac{2}{5} \times \dfrac{4}{3} = \dfrac{8}{15}$ (2) $\dfrac{4}{7} \div \dfrac{7}{8} = \dfrac{4}{7} \times \dfrac{8}{7} = \dfrac{32}{49}$

(3) $\dfrac{7}{9} \div \dfrac{4}{5} = \dfrac{7}{9} \times \dfrac{5}{4} = \dfrac{35}{36}$ (4) $\dfrac{7}{10} \div \dfrac{8}{9} = \dfrac{7}{10} \times \dfrac{9}{8} = \dfrac{63}{80}$

✧ $\dfrac{●}{★} \div \dfrac{▲}{■} = \dfrac{●}{★} \times \dfrac{■}{▲}$

 교과서 **개념 잡기**

개념 확인 문제

개념 8 (자연수)÷(분수) 계산하기

· $3 \div \frac{4}{5}$의 계산

방법 분수의 곱셈으로 나타내어 계산하기

$3 \div \frac{4}{5} = 3 \times \frac{5}{4} = \frac{15}{4} = 3\frac{3}{4}$

 ÷ $\frac{4}{5}$ → × $\frac{5}{4}$
나누는 분수의 분모와 분자를 바꾸는 것을 잊지 않도록 주의합니다.

개념 9 (가분수)÷(분수) 계산하기

· $\frac{10}{7} \div \frac{2}{3}$의 계산

방법1 통분하여 분자끼리 나누기

$\frac{10}{7} \div \frac{2}{3} = \frac{30}{21} \div \frac{14}{21} = 30 \div 14 = \frac{15}{7} = 2\frac{1}{7}$

방법2 분수의 곱셈으로 나타내어 계산하기

$\frac{10}{7} \div \frac{2}{3} = \frac{10}{7} \times \frac{3}{2} = \frac{15}{7} = 2\frac{1}{7}$

개념 10 (대분수)÷(분수) 계산하기

· $2\frac{1}{3} \div \frac{5}{6}$의 계산

(대분수)÷(분수)를 계산할 때에는 대분수를 가분수로 나타내어 계산합니다.

방법1 통분하여 분자끼리 나누기

$2\frac{1}{3} \div \frac{5}{6} = \frac{7}{3} \div \frac{5}{6} = \frac{14}{6} \div \frac{5}{6} = 14 \div 5 = \frac{14}{5} = 2\frac{4}{5}$

방법2 분수의 곱셈으로 나타내어 계산하기

$2\frac{1}{3} \div \frac{5}{6} = \frac{7}{3} \div \frac{5}{6} = \frac{7}{3} \times \frac{6}{5} = \frac{14}{5} = 2\frac{4}{5}$

참고 · 분수의 나눗셈 결과가 맞는지 확인해 보는 방법

■÷●=▲
▲×●=■

나누는 수와 계산 결과를 곱했을 때 나누어지는 수가 나오면 계산이 맞는 것입니다.

$2\frac{1}{3} \div \frac{5}{6} = \frac{14}{5}$

$\frac{5}{6} \times \frac{14}{5} = \frac{7}{3} = 2\frac{1}{3}$

12 · Run-A 6-2

8 □ 안에 알맞은 수를 써넣으세요.

(1) $4 \div \frac{3}{5} = 4 \times \frac{5}{3} = \frac{20}{3} = 6\frac{2}{3}$

(2) $6 \div \frac{5}{12} = 6 \times \frac{12}{5} = \frac{72}{5} = 14\frac{2}{5}$

● ÷ ▲/■ = ● × ■/▲

9 $\frac{7}{4} \div \frac{2}{3}$를 두 가지 방법으로 계산하려고 합니다. □ 안에 알맞은 수를 써넣으세요.

방법1 $\frac{7}{4} \div \frac{2}{3} = \frac{21}{12} \div \frac{8}{12} = 21 \div 8 = \frac{21}{8} = 2\frac{5}{8}$

방법2 $\frac{7}{4} \div \frac{2}{3} = \frac{7}{4} \times \frac{3}{2} = \frac{21}{8} = 2\frac{5}{8}$

❖ 방법1 은 통분하여 분자끼리 나누어 계산한 것입니다.
방법2 는 분수의 곱셈으로 나타내어 계산한 것입니다.

10-1 보기 와 같이 계산해 보세요.

보기
$1\frac{1}{4} \div \frac{2}{5} = \frac{5}{4} \div \frac{2}{5} = \frac{5}{4} \times \frac{5}{2} = \frac{25}{8} = 3\frac{1}{8}$

$1\frac{4}{5} \div \frac{4}{7} = \frac{9}{5} \div \frac{4}{7} = \frac{9}{5} \times \frac{7}{4} = \frac{63}{20} = 3\frac{3}{20}$

10-2 계산해 보세요.

(1) $1\frac{3}{5} \div \frac{3}{4} = 2\frac{2}{15}$

(2) $2\frac{2}{3} \div \frac{3}{5} = 4\frac{4}{9}$

(3) $1\frac{5}{9} \div \frac{5}{6} = 1\frac{13}{15}$

(4) $2\frac{4}{5} \div \frac{2}{9} = 12\frac{3}{5}$

❖ (3) $1\frac{5}{9} \div \frac{5}{6} = \frac{14}{9} \div \frac{5}{6} = \frac{14}{\overset{\scriptstyle}{9}} \times \frac{\overset{2}{6}}{5}$

$= \frac{28}{15} = 1\frac{13}{15}$

1. 분수의 나눗셈 · 13

PLAY 교과서 **개념 스토리** **쇼핑 카트 채우기**

증강현실 붙임딱지

마트에 장을 보러 온 손님들이 많이 있습니다.
나눗셈의 몫이 써 있는 물건 붙임딱지를 붙여서 쇼핑 카트를 채워 보세요.

14 · Run-A 6-2

1. 분수의 나눗셈 · 15

정답과 풀이 · **3**

PLAY 교과서 개념 스토리 | 블록 모양 완성하기

블록을 쌓아 여러 가지 모양을 만들고 있습니다.
나눗셈의 몫이 써 있는 블록 붙임딱지를 붙여서 블록 모양을 완성해 보세요.

16 · Run-Ⓐ 6-2

1. 분수의 나눗셈 · 17

---

② 단계 교과서 개념 다지기

정답과 풀이 p.4

개념 1 분자끼리 나누어떨어지는 분모가 같은 (분수)÷(분수) 알아보기

01 나눗셈의 몫을 찾아 선으로 이어 보세요.

$$\frac{3}{8} \div \frac{1}{8} = 3 \div 1 = 3, \ \frac{4}{7} \div \frac{2}{7} = 4 \div 2 = 2,$$
$$\frac{12}{13} \div \frac{3}{13} = 12 \div 3 = 4$$

02 계산 결과를 비교하여 ○ 안에 >, =, <를 알맞게 써넣으세요.

$$\boxed{\frac{8}{9} \div \frac{2}{9}} \ \bigcirc \ \boxed{\frac{10}{11} \div \frac{5}{11}}$$

$$\frac{8}{9} \div \frac{2}{9} = 8 \div 2 = 4, \ \frac{10}{11} \div \frac{5}{11} = 10 \div 5 = 2 \ \rightarrow 4 > 2$$

03 그림에 알맞은 진분수끼리의 나눗셈식을 만들고 답을 구해 보세요.

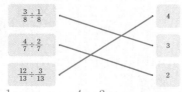

$$\frac{9}{10} \div \frac{3}{10} = 3$$

식 _____

답 3

$\frac{9}{10}$에는 $\frac{3}{10}$이 3번 들어갑니다. $\rightarrow \frac{9}{10} \div \frac{3}{10} = 3$

18 · Run-Ⓐ 6-2

개념 2 분자끼리 나누어떨어지지 않는 분모가 같은 (분수)÷(분수) 알아보기

04 빈칸에 알맞은 수를 써넣으세요.

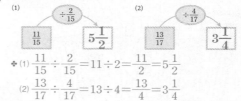

(1) $\frac{11}{15} \div \frac{2}{15} = 11 \div 2 = \frac{11}{2} = 5\frac{1}{2}$
(2) $\frac{13}{17} \div \frac{4}{17} = 13 \div 4 = \frac{13}{4} = 3\frac{1}{4}$

05 계산 결과가 가장 작은 것에 ○표 하세요.

$$\boxed{\frac{12}{13} \div \frac{5}{13}} \quad \boxed{\frac{8}{9} \div \frac{5}{9}} \quad \boxed{\frac{15}{19} \div \frac{4}{19}}$$
( ) (○) ( )

$\frac{12}{13} \div \frac{5}{13} = 12 \div 5 = \frac{12}{5} = 2\frac{2}{5}, \ \frac{8}{9} \div \frac{5}{9} = 8 \div 5 = \frac{8}{5} = 1\frac{3}{5},$
$\frac{15}{19} \div \frac{4}{19} = 15 \div 4 = \frac{15}{4} = 3\frac{3}{4} \ \rightarrow 3\frac{3}{4} > 2\frac{2}{5} > 1\frac{3}{5}$

06 조건 을 만족하는 분수의 나눗셈식을 모두 쓰려고 합니다. □ 안에 알맞은 수를 써넣으세요.

> 조건
> • 11÷7을 이용하여 계산할 수 있습니다.
> • 분모가 14보다 작은 진분수의 나눗셈입니다.
> • 두 분수의 분모는 같습니다.

$$\frac{11}{\boxed{12}} \div \frac{7}{\boxed{12}}, \ \frac{11}{\boxed{13}} \div \frac{7}{\boxed{13}}$$

$\frac{11}{□} \div \frac{7}{□}$에서 □는 14보다 작고 $\frac{11}{□}$과 $\frac{7}{□}$은 진분수이므로
$\frac{11}{12} \div \frac{7}{12}, \ \frac{11}{13} \div \frac{7}{13}$입니다.

1. 분수의 나눗셈 · 19

②단계 교과서 개념 다지기

정답과 풀이 p.5

개념3 분모가 다른 (분수)÷(분수) 알아보기

$$\frac{4}{7} \div \frac{2}{21} = \frac{12}{21} \div \frac{2}{21} = 12 \div 2 = 6,$$

07 빈칸에 알맞은 수를 써넣으세요.

$$\frac{28}{34} \div \frac{7}{17} = \frac{28}{34} \div \frac{14}{34} = 28 \div 14 = 2$$

÷		
$\frac{4}{7}$	$\frac{2}{21}$	6
$\frac{28}{34}$	$\frac{7}{17}$	2

❖ 예지: $\frac{3}{7} \div \frac{2}{3} = \frac{9}{21} \div \frac{14}{21} = 9 \div 14 = \frac{9}{14}$.

현서: $\frac{3}{4} \div \frac{1}{8} = \frac{6}{8} \div \frac{1}{8} = 6 \div 1 = 6,$

08 계산 결과가 자연수인 나눗셈을 말한 학생의 이름을 써 보세요.

$\frac{3}{7} \div \frac{2}{3}$ $\frac{3}{4} \div \frac{1}{8}$ $\frac{7}{15} \div \frac{4}{5}$

예지   현서   윤하

(**현서**)

윤하: $\frac{7}{15} \div \frac{4}{5} = \frac{7}{15} \div \frac{12}{15} = 7 \div 12 = \frac{7}{12}$

➡ 계산 결과가 자연수인 나눗셈을 말한 학생은 현서입니다.

09 주스를 가은이는 $\frac{3}{8}$ L 마셨고, 상혁이는 $\frac{3}{5}$ L 마셨습니다. 가은이가 마신 주스의 양은 상혁이가 마신 주스의 양의 몇 배인지 식을 쓰고 답을 구해 보세요.

식 $\frac{3}{8} \div \frac{3}{5} = \frac{5}{8}$

답 $\frac{5}{8}$배

20 · Run - A 6-2 ❖ $\frac{3}{8} \div \frac{3}{5} = \frac{15}{40} \div \frac{24}{40} = 15 \div 24 = \frac{15}{24} = \frac{5}{8}$(배)

정답과 풀이 p.5

개념4 (자연수)÷(분수) 알아보기

10 빈칸에 알맞은 수를 써넣으세요.

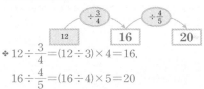

❖ $12 \div \frac{3}{4} = (12 \div 3) \times 4 = 16,$

$16 \div \frac{4}{5} = (16 \div 4) \times 5 = 20$

11 가장 큰 수를 가장 작은 수로 나눈 몫을 구해 보세요.

9    $\frac{2}{3}$ 14 $1\frac{3}{4}$

(**21**)

❖ $14 > 9 > 1\frac{3}{4} > \frac{2}{3}$이므로 $14 \div \frac{2}{3} = (14 \div 2) \times 3 = 21$ 입니다.

12 선물 상자 한 개를 포장하는 데 리본이 $\frac{6}{7}$ m 필요합니다. 리본 18 m로 선물 상자를 몇 개까지 포장할 수 있는지 구해 보세요.

❖ (포장할 수 있는 상자의 수)   (**21개**)
= (전체 리본의 길이)÷(상자 한 개를 포장할 때 필요한 리본의 길이)
= $18 \div \frac{6}{7} = (18 \div 6) \times 7 = 21$(개)

13 수박 $\frac{4}{5}$ 통의 무게가 8 kg입니다. 수박 한 통의 무게는 몇 kg인지 식을 쓰고 답을 구해 보세요.

식 $8 \div \frac{4}{5} = 10$

답 **10 kg**

❖ $8 \div \frac{4}{5} = (8 \div 4) \times 5 = 10$ (kg)

1. 분수의 나눗셈 · 21

---

②단계 교과서 개념 다지기

정답과 풀이 p.5

개념5 (분수)÷(분수)를 (분수)×(분수)로 나타내기

14 ㉠, ㉡, ㉢에 알맞은 수의 합을 구해 보세요.

$$\frac{4}{9} \div \frac{5}{7} = \frac{4}{9} \times \frac{㉠}{㉡} = \frac{28}{㉢}$$

(**57**)

❖ $\frac{4}{9} \div \frac{5}{7} = \frac{4}{9} \times \frac{7}{5} = \frac{28}{45}$이므로
㉠=7, ㉡=5, ㉢=45입니다.
따라서 ㉠+㉡+㉢=7+5+45=57입니다.

15 계산 결과가 가장 큰 것에 ○표 하세요.

$\frac{7}{10} \div \frac{2}{5}$ $\frac{5}{8} \div \frac{3}{4}$ $\frac{8}{9} \div \frac{2}{7}$

(   )   (   )   (○)

❖ $\frac{7}{10} \div \frac{2}{5} = 1\frac{3}{4}$, $\frac{5}{8} \div \frac{3}{4} = \frac{5}{6}$, $\frac{8}{9} \div \frac{2}{7} = 3\frac{1}{9}$

➡ $3\frac{1}{9} > 1\frac{3}{4} > \frac{5}{6}$

16 넓이가 $\frac{7}{15}$ m²인 직사각형이 있습니다. 세로가 $\frac{2}{5}$ m일 때 가로는 몇 m인지 구해 보세요.

$\frac{7}{15}$ m² $\frac{2}{5}$ m

($1\frac{1}{6}$ m)

❖ (가로)=(직사각형의 넓이)÷(세로)
$= \frac{7}{15} \div \frac{2}{5} = \frac{7}{15} \times \frac{\overset{1}{3}}{2} = \frac{7}{6} = 1\frac{1}{6}$ (m)

17 동화책의 무게는 $\frac{3}{8}$ kg이고 가방의 무게는 $\frac{9}{10}$ kg입니다. 동화책의 무게는 가방의 무게의 몇 배인지 구해 보세요.

($\frac{5}{12}$배)

22 · Run - A 6-2 ❖ $\frac{3}{8} \div \frac{9}{10} = \frac{\overset{1}{3}}{\underset{4}{8}} \times \frac{\overset{5}{10}}{\underset{3}{9}} = \frac{5}{12}$(배)

정답과 풀이 p.5

개념6 (분수)÷(분수) 계산하기

18 $2\frac{1}{8} \div \frac{3}{4}$을 두 가지 방법으로 계산해 보세요.

방법1 $2\frac{1}{8} \div \frac{3}{4} = \frac{17}{8} \div \frac{3}{4} = \frac{17}{8} \div \frac{6}{8} = 17 \div 6 = \frac{17}{6} = 2\frac{5}{6}$

방법2 $2\frac{1}{8} \div \frac{3}{4} = \frac{17}{8} \div \frac{3}{4} = \frac{17}{\underset{2}{8}} \times \frac{\overset{1}{4}}{3} = \frac{17}{6} = 2\frac{5}{6}$

❖ 방법1 은 통분하여 분자끼리 나누어 계산한 것입니다.
방법2 는 분수의 곱셈으로 나타내어 계산한 것입니다.

19 잘못 계산한 부분을 찾아 이유를 쓰고 바르게 계산해 보세요.

$2\frac{4}{7} \div \frac{2}{3} = 2\frac{\overset{2}{4}}{7} \times \frac{3}{\underset{1}{2}} = 2\frac{6}{7}$

이유 예 대분수를 가분수로 나타내지 않고 약분하여 계산하였습니다.

바른 계산 예 $2\frac{4}{7} \div \frac{2}{3} = \frac{18}{7} \div \frac{2}{3} = \frac{\overset{9}{18}}{7} \times \frac{3}{\underset{1}{2}} = \frac{27}{7} = 3\frac{6}{7}$

20 휘발유 $\frac{5}{6}$ L로 $9\frac{4}{9}$ km를 가는 자동차가 있습니다. 이 자동차는 휘발유 1 L로 몇 km를 갈 수 있는지 구해 보세요.

($11\frac{1}{3}$ km)

❖ $9\frac{4}{9} \div \frac{5}{6} = \frac{85}{9} \div \frac{5}{6} = \frac{\overset{17}{85}}{\underset{3}{9}} \times \frac{\overset{2}{6}}{\underset{1}{5}} = \frac{34}{3} = 11\frac{1}{3}$ (km)

1. 분수의 나눗셈 · 23

③ 단계 교과서 실력 다지기

정답과 풀이 p.6

★ 가격 구하기

1 어느 가게에서 귤 $\frac{5}{6}$ kg의 가격이 5000원입니다. 이 귤 4 kg의 가격은 얼마인지 구해 보세요.

답 **24000원**

개념 피드백
① 귤 1 kg의 가격을 구합니다.
② ①에서 구한 값과 4의 곱을 구합니다.

❖ (귤 1 kg의 가격)$=5000 \div \frac{5}{6}=(5000 \div 5) \times 6=6000$(원)

(귤 4 kg의 가격)$=6000 \times 4=24000$(원)

1-1 어느 가게에서 사탕 $\frac{4}{7}$ kg의 가격이 3200원입니다. 이 사탕 5 kg의 가격은 얼마인지 구해 보세요.

(**28000원**)

❖ (사탕 1 kg의 가격)$=3200 \div \frac{4}{7}=(3200 \div 4) \times 7=5600$(원)

(사탕 5 kg의 가격)$=5600 \times 5=28000$(원)

1-2 어느 가게에서 고구마 $\frac{3}{4}$ kg의 가격이 4800원입니다. 이 고구마 3 kg을 사려고 20000원을 냈습니다. 거스름돈은 얼마인지 구해 보세요.

(**800원**)

❖ (고구마 1 kg의 가격)$=4800 \div \frac{3}{4}=(4800 \div 3) \times 4=6400$(원)

(고구마 3 kg의 가격)$=6400 \times 3=19200$(원)

➡ (거스름돈)$=20000-19200=800$(원)

1-3 어느 가게에서 딸기 $\frac{7}{8}$ kg의 가격이 5600원이고, 포도 $\frac{8}{9}$ kg의 가격이 7200원입니다. 이 가게에서 딸기 1 kg과 포도 1 kg의 가격의 합은 얼마인지 구해 보세요.

(**14500원**)

❖ (딸기 1 kg의 가격)$=5600 \div \frac{7}{8}=(5600 \div 7) \times 8=6400$(원)

(포도 1 kg의 가격)$=7200 \div \frac{8}{9}=(7200 \div 8) \times 9=8100$(원)

➡ $6400+8100=14500$(원)

24 · Run-Ⓐ 6-2

★ 어떤 수 구하기

2 ☐ 안에 알맞은 수를 구해 보세요.

$$\boxed{} \times \frac{5}{8} = 5\frac{3}{4}$$

답 $9\frac{1}{5}$

개념 피드백
① ▲×■=● ➡ ■=●÷▲
■×▲=● ➡ ▲=●÷■
② ①의 관계를 이용하여 식을 세워 계산합니다.

❖ $\boxed{} \times \frac{5}{8} = 5\frac{3}{4}$

➡ $\boxed{} = 5\frac{3}{4} \div \frac{5}{8} = \frac{23}{4} \div \frac{5}{8} = \frac{23}{\overset{1}{4}} \times \frac{\overset{2}{8}}{5} = \frac{46}{5} = 9\frac{1}{5}$

2-1 ⊙에 알맞은 수를 구해 보세요.

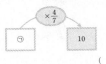

($17\frac{1}{2}$)

❖ $⊙ \times \frac{4}{7} = 10$ ➡ $⊙ = 10 \div \frac{4}{7} = \overset{5}{10} \times \frac{7}{\overset{4}{2}} = \frac{35}{2} = 17\frac{1}{2}$

2-2 ★에 알맞은 수를 구해 보세요.

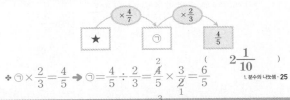

($2\frac{1}{10}$)

❖ $⊙ \times \frac{2}{3} = \frac{4}{5}$ ➡ $⊙ = \frac{4}{5} \div \frac{2}{3} = \frac{\overset{2}{4}}{5} \times \frac{3}{\overset{2}{1}} = \frac{6}{5}$

$★ \times \frac{4}{7} = \frac{6}{5}$ ➡ $★ = \frac{6}{5} \div \frac{4}{7} = \frac{\overset{3}{6}}{5} \times \frac{7}{\overset{4}{2}} = \frac{21}{10} = 2\frac{1}{10}$

1. 분수의 나눗셈 · 25

---

③ 단계 교과서 실력 다지기

정답과 풀이 p.6

★ ☐ 안에 들어갈 수 있는 자연수 구하기

3 ☐ 안에 들어갈 수 있는 자연수를 모두 구해 보세요.

$$\boxed{} \div \frac{1}{5} < 25$$

답 **1, 2, 3, 4**

개념 피드백
① 나눗셈을 곱셈으로 나타내어 봅니다.
② ①의 식을 이용하여 ☐ 안에 들어갈 수 있는 자연수를 구합니다.

❖ $\boxed{} \div \frac{1}{5} = \boxed{} \times 5$이므로 $\boxed{} \div \frac{1}{5} < 25$는 $\boxed{} \times 5 < 25$와 같습니다.

☐는 5보다 작아야 하므로 ☐ 안에 들어갈 수 있는 자연수는 1, 2, 3, 4입니다.

3-1 ☐ 안에 들어갈 수 있는 자연수를 모두 구해 보세요.

$$9 \div \frac{1}{\boxed{}} < 50$$

(**1, 2, 3, 4, 5**)

❖ $9 \div \frac{1}{\boxed{}} = 9 \times \boxed{}$이므로 $9 \div \frac{1}{\boxed{}} < 50$은 $9 \times \boxed{} < 50$과 같습니다.

☐는 6보다 작아야 하므로 ☐ 안에 들어갈 수 있는 자연수는 1, 2, 3, 4, 5입니다.

3-2 ☐ 안에 들어갈 수 있는 자연수는 모두 몇 개인지 구해 보세요.

$$15 < \boxed{} \div \frac{1}{7} < 45$$

(**4개**)

❖ $\boxed{} \div \frac{1}{7} = \boxed{} \times 7$이므로 $15 < \boxed{} \div \frac{1}{7} < 45$는 $15 < \boxed{} \times 7 < 45$와 같습니다.

☐는 2보다 크고 7보다 작아야 하므로 ☐ 안에 들어갈 수 있는 자연수는 3, 4, 5, 6으로 모두 4개입니다.

26 · Run-Ⓐ 6-2

★ 수 카드로 나눗셈식 만들어 계산하기

4 수 카드 3장을 한 번씩 모두 사용하여 계산 결과가 가장 작은 (자연수)÷(진분수)를 만들고 계산해 보세요.

$$\boxed{3} \ \boxed{4} \ \boxed{7} \rightarrow \boxed{3} \div \frac{\boxed{4}}{\boxed{7}}$$

답 $5\frac{1}{4}$

개념 피드백
① 진분수는 분자가 분모보다 작은 분수입니다.
② 나눗셈의 몫이 가장 작은 경우는 가장 작은 수를 남은 수로 만들 수 있는 가장 큰 진분수로 나눌 때입니다.

❖ 수 카드 중 가장 작은 수인 3을 나누어지는 수로 하고 남은 4, 7로 진분수를 만들어 계산합니다. ➡ $3 \div \frac{4}{7} = 3 \times \frac{7}{4} = \frac{21}{4} = 5\frac{1}{4}$

4-1 수 카드 3장을 한 번씩 모두 사용하여 계산 결과가 가장 작은 (자연수)÷(가분수)를 만들고 계산해 보세요.

$$\boxed{5} \ \boxed{8} \ \boxed{9} \rightarrow \boxed{5} \div \frac{\boxed{9}}{\boxed{8}}$$

($4\frac{4}{9}$)

❖ 수 카드 중 가장 작은 수인 5를 나누어지는 수로 하고 남은 8, 9로 가분수를 만들어 계산합니다.

➡ $5 \div \frac{9}{8} = 5 \times \frac{8}{9} = \frac{40}{9} = 4\frac{4}{9}$

4-2 수 카드 3장을 한 번씩 모두 사용하여 계산 결과가 가장 작은 (자연수)÷(대분수)를 만들고 계산해 보세요.

$$\boxed{2} \ \boxed{3} \ \boxed{5} \ \boxed{6} \rightarrow \boxed{2} \div \boxed{6}\frac{\boxed{3}}{\boxed{5}}$$

($\frac{10}{33}$)

❖ 수 카드 중 가장 작은 수인 2를 나누어지는 수로 하고 남은 3, 5, 6으로 가장 큰 대분수를 만들어 계산합니다.

➡ $2 \div 6\frac{3}{5} = 2 \div \frac{33}{5} = 2 \times \frac{5}{33} = \frac{10}{33}$

1. 분수의 나눗셈 · 27

3 단계 교과서 실력 다지기

정답과 풀이 p.7

★ 도형의 넓이를 이용하여 길이 구하기

5 오른쪽 삼각형의 넓이는 $\frac{3}{4}$ m²입니다. 이 삼각형의 높이는 몇 m인지 구해 보세요.

❖ 높이를 □ m라 하면 $\frac{9}{10} \times □ \div 2 = \frac{3}{4}$입니다.

→ $\frac{9}{10} \times □ = \frac{3}{4} \times 2$, $\frac{9}{10} \times □ = \frac{3}{2}$, 달 $1\frac{2}{3}$ m

개념 떠올리기 ① (삼각형의 넓이)=(밑변의 길이)×(높이)÷2
② ①의 식을 세워 높이를 계산합니다.

$$□ = \frac{3}{2} \div \frac{9}{10} = \frac{3}{2} \times \frac{10}{9} = \frac{5}{3} = 1\frac{2}{3}$$

5-1 오른쪽 삼각형의 넓이는 $\frac{7}{8}$ m²입니다. 이 삼각형의 밑변의 길이는 몇 m인지 구해 보세요.

❖ 밑변의 길이를 □ m라 하면 $□ \times 1\frac{5}{8} \div 2 = \frac{7}{8}$입니다.

→ $□ \times 1\frac{5}{8} = \frac{7}{8} \times 2$, $□ \times 1\frac{5}{8} = \frac{7}{4}$, ($1\frac{1}{13}$ m)

$$□ = \frac{7}{4} \div 1\frac{5}{8} = \frac{7}{4} \div \frac{13}{8} = \frac{7}{4} \times \frac{8}{13} = \frac{14}{13} = 1\frac{1}{13}$$

5-2 오른쪽 마름모의 넓이는 $\frac{35}{8}$ m²입니다. □ 안에 알맞은 수를 구해 보세요.

❖ (마름모의 넓이)
= (한 대각선의 길이) × (다른 대각선의 길이) ÷ 2
= $□ \times 3\frac{1}{2} \div 2 = \frac{35}{8}$ ($2\frac{1}{2}$)

28 · Run~A 6-2

$□ \times 3\frac{1}{2} = \frac{35}{8} \times 2$, $□ \times 3\frac{1}{2} = \frac{35}{4}$,

$$□ = \frac{35}{4} \div 3\frac{1}{2} = \frac{35}{4} \div \frac{7}{2} = \frac{35}{4} \times \frac{2}{7} = \frac{5}{2} = 2\frac{1}{2}$$

★ 바르게 계산한 값 구하기

6 어떤 수를 $\frac{5}{6}$로 나누어야 할 것을 잘못하여 $\frac{5}{6}$를 곱했더니 $4\frac{3}{8}$이 되었습니다. 바르게 계산한 값을 구해 보세요.

❖ 어떤 수를 □라 하면 $□ \times \frac{5}{6} = 4\frac{3}{8}$,   달 $6\frac{3}{10}$

개념 떠올리기 ① 잘못 계산한 식을 세워 어떤 수를 구합니다.
② 바른 식을 세워 계산합니다.

$$□ = 4\frac{3}{8} \div \frac{5}{6} = \frac{35}{8} \div \frac{5}{6} = \frac{35}{8} \times \frac{6}{5} = \frac{21}{4}$$입니다.

따라서 바르게 계산하면 $\frac{21}{4} \div \frac{5}{6} = \frac{21}{4} \times \frac{6}{5} = \frac{63}{10} = 6\frac{3}{10}$입니다.

6-1 어떤 수를 $\frac{3}{5}$으로 나누어야 할 것을 잘못하여 $\frac{3}{5}$를 곱했더니 $2\frac{7}{10}$이 되었습니다. 바르게 계산한 값을 구해 보세요.

❖ 어떤 수를 □라 하면   ($7\frac{1}{2}$)

$$□ \times \frac{3}{5} = 2\frac{7}{10}, □ = 2\frac{7}{10} \div \frac{3}{5} = \frac{27}{10} \div \frac{3}{5} = \frac{27}{10} \times \frac{5}{3} = \frac{9}{2}$$입니다.

따라서 바르게 계산하면 $\frac{9}{2} \div \frac{3}{5} = \frac{9}{2} \times \frac{5}{3} = \frac{15}{2} = 7\frac{1}{2}$입니다.

6-2 어떤 수 문제를 풀려고 합니다. 다음 문제의 답을 구해 보세요.

어떤 수를 $\frac{4}{9}$로 나누어야 할 것을 잘못하여 $\frac{9}{4}$로 나누었더니 $2\frac{2}{3}$가 되었습니다. 바르게 계산한 값은 얼마일까요?

❖ 어떤 수를 □라 하면 $□ \div \frac{9}{4} = 2\frac{2}{3}$ ($13\frac{1}{2}$)

$$□ = 2\frac{2}{3} \times \frac{9}{4} = \frac{8}{3} \times \frac{9}{4} = 6$$입니다.

1. 분수의 나눗셈 · 29

따라서 바르게 계산하면 $6 \div \frac{4}{9} = 6 \times \frac{9}{4} = \frac{27}{2} = 13\frac{1}{2}$입니다.

Test 교과서 서술형 연습

정답과 풀이 p.7

1 민준이가 자전거를 타고 $\frac{2}{3}$ km를 가는 데 3분이 걸렸습니다. 같은 빠르기로 1 km를 가는 데 걸리는 시간은 몇 분 몇 초인지 구해 보세요.

✏️ 구하려는 것, 주어진 것에 선을 그어 봅니다.

해결하기 (1 km를 가는 데 걸리는 시간)

$= 3 \div \frac{2}{3} = 3 \times \frac{3}{2} = \frac{9}{2} = 4\frac{1}{2}$(분)

1분은 $\boxed{60}$초이므로

$4\frac{1}{2}$분 = $4\frac{30}{60}$분 = 4분 $\boxed{30}$초입니다.

답 구하기 **4분 30초**

2 ┌→ 주어진 것
지선이가 자전거를 타고 $\frac{5}{6}$ km를 가는 데 $3\frac{1}{2}$분이 걸렸습니다. 같은 빠르기로 1 km를 가는 데 걸리는 시간은 몇 분 몇 초인지 구해 보세요. ┌→ 구하려는 것

✏️ 구하려는 것, 주어진 것에 선을 그어 봅니다.

해결하기 예 (1 km를 가는 데 걸리는 시간)

$= 3\frac{1}{2} \div \frac{5}{6} = \frac{7}{2} \div \frac{5}{6} = \frac{7}{2} \times \frac{6}{5}$

$= \frac{21}{5} = 4\frac{1}{5}$(분)   답 구하기 **4분 12초**

1분은 60초이므로

30 · Run~A 6-2

$4\frac{1}{5}$분 = $4\frac{12}{60}$분 = 4분 12초입니다.

3 물이 $2\frac{1}{3}$ L 들어 있는 5 L 들이의 물통에 물을 가득 채우려고 합니다. $\frac{1}{3}$ L 들이의 그릇으로 적어도 몇 번 부어야 하는지 구해 보세요.

✏️ 구하려는 것, 주어진 것에 선을 그어 봅니다.

해결하기 (더 부어야 하는 물의 양)

$= 5 - 2\frac{1}{3} = \frac{3}{3} - 2\frac{1}{3} = 2\frac{2}{3}$(L)

(그릇으로 부어야 하는 횟수)

$= 2\frac{2}{3} \div \frac{1}{3} = \frac{8}{3} \div \frac{1}{3} = 8 \div 1 = 8$(번)

답 구하기 $\boxed{8번}$

4 물이 $3\frac{1}{5}$ L 들어 있는 5 L 들이의 물통에 물을 가득 채우려고 합니다. $\frac{1}{5}$ L 들이의 그릇으로 적어도 몇 번 부어야 하는지 구해 보세요.
┌→ 구하려는 것

✏️ 구하려는 것, 주어진 것에 선을 그어 봅니다.

해결하기 예 (더 부어야 하는 물의 양)

$= 5 - 3\frac{1}{5} = 4\frac{5}{5} - 3\frac{1}{5} = 1\frac{4}{5}$(L)

(그릇으로 부어야 하는 횟수)

$= 1\frac{4}{5} \div \frac{1}{5} = \frac{9}{5} \div \frac{1}{5} = 9 \div 1 = 9$(번)

답 구하기 **9번**

1. 분수의 나눗셈 · 31

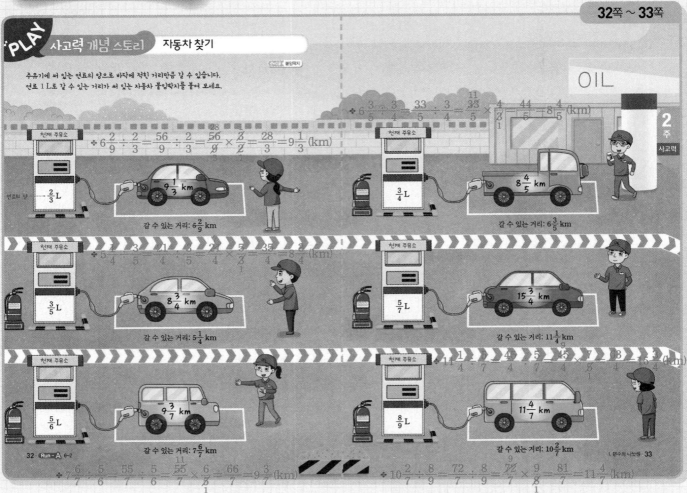

PLAY 사고력 개념 스토리 자동차 찾기

주유기에 써 있는 연료의 양으로 바닥에 적힌 거리만큼 갈 수 있습니다.
연료 1 L로 갈 수 있는 거리가 써 있는 자동차 붙임딱지를 붙여 보세요.

$\div 6\frac{2}{9} \div \frac{2}{3} = \frac{56}{9} \div \frac{2}{3} = \frac{56}{9} \times \frac{3}{2} = \frac{28}{3} = 9\frac{1}{3}$ (km)

$\div 6\frac{3}{5} \div \frac{3}{4} = \frac{33}{5} \div \frac{3}{4} = \frac{33}{5} \times \frac{4}{3} = \frac{44}{5} = 8\frac{4}{5}$ (km)

$\div \frac{5}{4} \div \frac{3}{5} = \frac{5}{4} \times \frac{5}{3} = \frac{35}{4} = 8\frac{3}{4}$ (km)

$\div 7\frac{6}{7} \div \frac{6}{5} = \frac{55}{7} \div \frac{5}{6} = \frac{55}{7} \times \frac{6}{5} = \frac{66}{7} = 9\frac{3}{7}$ (km)

$\div 10\frac{2}{7} \div \frac{8}{9} = \frac{72}{7} \div \frac{8}{9} = \frac{72}{7} \times \frac{9}{8} = \frac{81}{7} = 11\frac{4}{7}$ (km)

34쪽 ~ 35쪽

PLAY 사고력 개념 스토리 우유 창고 채우기

목장에서 일꾼들이 우유를 짜고 있습니다.
일꾼의 말을 보고 알맞은 우유의 양이 써 있는 통 붙임딱지를 붙여서 창고를 채워 보세요.

$\div$ (1시간에 짜는 우유의 양)=$1\frac{3}{4} \div \frac{3}{4} = \frac{7}{4} \div \frac{3}{4} = \frac{7}{4} \times 3 = \frac{21}{4}$ (L)
$\Rightarrow \frac{21}{4} \times 2 = \frac{21}{2} = 10\frac{1}{2}$ (L)

$\div$ (1시간에 짜는 우유의 양)=$5\frac{1}{4} \div \frac{9}{10} = \frac{21}{4} \div \frac{9}{10} = \frac{21}{4} \times \frac{10}{9} = \frac{35}{6}$ (L)
$\frac{35}{6} \times 4 = \frac{70}{3} = 23\frac{1}{3}$ (L)

$\div$ (1시간에 짜는 우유의 양)=$1\frac{1}{5} \div \frac{3}{10} = \frac{6}{5} \div \frac{3}{10} = \frac{6}{5} \times \frac{10}{3} = 4$ (L)
$\Rightarrow 4 \times 3 = 12$ (L)

$\div$ (1시간에 짜는 우유의 양)=$3\frac{1}{3} \div \frac{2}{5} = \frac{10}{3} \div \frac{2}{5} = \frac{10}{3} \times \frac{5}{2} = \frac{25}{3}$ (L)
$\Rightarrow \frac{25}{3} \times 3 = 25$ (L)

$\div$ (1시간에 짜는 우유의 양)=$6 \div \frac{3}{5} = 6 \times \frac{5}{3} = 10$ (L)
$\Rightarrow 10 \times 2 = 20$ (L)

$\div$ (1시간에 짜는 우유의 양)=$2\frac{1}{6} \div \frac{1}{2} = \frac{13}{6} \div \frac{1}{2} = \frac{13}{6} \times 2 = \frac{13}{3}$ (L)
$\Rightarrow \frac{13}{3} \times 5 = \frac{65}{3} = 21\frac{2}{3}$ (L)

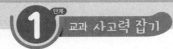

교과 사고력 잡기

1 다음과 같은 도로의 양쪽에 처음부터 끝까지 같은 간격으로 가로등을 설치하려고 합니다. 필요한 가로등은 모두 몇 개인지 구해 보세요. (단, 가로등의 굵기는 생각하지 않습니다.)

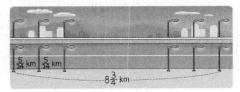

$\frac{5}{24}$ km $\frac{5}{24}$ km

$8\frac{3}{4}$ km

❶ 도로의 한쪽에 설치할 가로등 사이의 간격은 몇 군데인지 구해 보세요.

(42군데)

❖ (간격의 수)=(도로의 한쪽 길이)÷(가로등 사이의 간격)

$$=8\frac{3}{4} \div \frac{5}{24}=\frac{35}{4} \div \frac{5}{24}=\overset{7}{\underset{1}{\cancel{\frac{35}{4}}}} \times \overset{6}{\underset{1}{\cancel{\frac{24}{5}}}}=42(군데)$$

❷ 도로의 한쪽에 설치하는 데 필요한 가로등은 몇 개인지 구해 보세요.

(43개)

❖ 간격이 1군데일 때 필요한 가로등은 2개, 간격이 2군데일 때 필요한 가로등은 3개……이므로 필요한 가로등의 수는 가로등 사이의 간격의 수보다 1만큼 더 큽니다.

(도로의 한쪽에 설치하는 데 필요한 가로등의 수)
=(가로등 사이의 간격의 수)+1=42+1=43(개)

❸ 도로의 양쪽에 설치하는 데 필요한 가로등은 몇 개인지 구해 보세요.

(86개)

❖ (도로의 양쪽에 설치하는 데 필요한 가로등의 수)
=(도로의 한쪽에 설치하는 데 필요한 가로등의 수)×2
=43×2=86(개)

36 · Run-A 6-2

2 수직선에서 0과 1 사이를 9등분 하였습니다. ㉡÷㉠의 값을 구해 보세요.

0   ㉠   ㉡   1

❶ 눈금 한 칸의 크기를 구해 보세요.

($\frac{1}{9}$)

❖ 0과 1 사이를 9등분 하였으므로 눈금 한 칸의 크기는 $\frac{1}{9}$ 입니다.

❷ ㉠과 ㉡이 각각 나타내는 분수를 구해 보세요.

㉠ ($\frac{2}{9}$), ㉡ ($\frac{7}{9}$)

❖ ㉠ 0에서 2번째 눈금을 가리키므로 $\frac{2}{9}$ 입니다.

㉡ 0에서 7번째 눈금을 가리키므로 $\frac{7}{9}$ 입니다.

❸ ㉡÷㉠의 값을 구해 보세요.

($3\frac{1}{2}$)

❖ $\frac{7}{9} \div \frac{2}{9}=7 \div 2=\frac{7}{2}=3\frac{1}{2}$

3 수직선에서 0과 1 사이를 7등분 하였습니다. ㉡÷㉠의 값을 구해 보세요.

0   ㉠   ㉡   1

($1\frac{2}{3}$)

❖ 0과 1 사이를 7등분 하였으므로 눈금 한 칸의 크기는 $\frac{1}{7}$ 입니다.

㉠ 0에서 3번째 눈금을 가리키므로 $\frac{3}{7}$ 입니다.

㉡ 0에서 5번째 눈금을 가리키므로 $\frac{5}{7}$ 입니다.

따라서 ㉡÷㉠=$\frac{5}{7} \div \frac{3}{7}=5 \div 3=\frac{5}{3}=1\frac{2}{3}$ 입니다.

1. 분수의 나눗셈 · 37

교과 사고력 잡기

4 미영이가 어제와 오늘 같은 빠르기로 걸었습니다. 미영이가 오늘 걸은 거리는 몇 km인지 구해 보세요.

어제 — 3 km를 걷는 데 42분이 걸렸네.

오늘 — 오늘은 4시간 동안 걸었어.

❶ 42분은 몇 시간인지 분수로 나타내어 보세요.

($\frac{7}{10}$ 시간)

❖ 1시간은 60분이므로 42분=$\frac{\overset{7}{\cancel{42}}}{\underset{10}{\cancel{60}}}$ 시간=$\frac{7}{10}$ 시간입니다.

❷ 미영이가 한 시간 동안 걸을 수 있는 거리는 몇 km인지 구해 보세요.

($4\frac{2}{7}$ km)

❖ $3 \div \frac{7}{10}=3 \times \frac{10}{7}=\frac{30}{7}=4\frac{2}{7}$ (km)

❸ 미영이가 오늘 걸은 거리는 몇 km인지 구해 보세요.

($17\frac{1}{7}$ km)

❖ (미영이가 오늘 걸은 거리)
=(미영이가 한 시간 동안 걸을 수 있는 거리)×4
=$4\frac{2}{7} \times 4=\frac{30}{7} \times 4=\frac{120}{7}=17\frac{1}{7}$ (km)

38 · Run-A 6-2

5 종혁이와 경은이가 멀리뛰기를 했습니다. 종혁이는 트랙의 $\frac{4}{7}$ 만큼 뛰었고, 경은이는 $\frac{5}{9}$ 만큼 뛰었습니다. 경은이가 뛴 거리는 종혁이가 뛴 거리의 몇 배인지 구해 보세요.

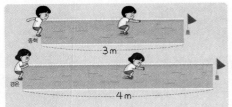

종혁 — 3 m
경은 — 4 m

❶ 종혁이가 뛴 거리는 몇 m인지 구해 보세요.

($1\frac{5}{7}$ m)

❖ 3 m의 $\frac{4}{7}$ 만큼 뛰었으므로 $3 \times \frac{4}{7}=\frac{12}{7}=1\frac{5}{7}$ (m)입니다.

❷ 경은이가 뛴 거리는 몇 m인지 구해 보세요.

($2\frac{2}{9}$ m)

❖ 4 m의 $\frac{5}{9}$ 만큼 뛰었으므로 $4 \times \frac{5}{9}=\frac{20}{9}=2\frac{2}{9}$ (m)입니다.

❸ 경은이가 뛴 거리는 종혁이가 뛴 거리의 몇 배인지 구해 보세요.

($1\frac{8}{27}$ 배)

❖ $2\frac{2}{9} \div 1\frac{5}{7}=\frac{20}{9} \div \frac{12}{7}=\overset{5}{\underset{}{\cancel{\frac{20}{9}}}} \times \frac{7}{\underset{3}{\cancel{12}}}$

$=\frac{35}{27}=1\frac{8}{27}$ (배)

1. 분수의 나눗셈 · 39

2 단계 교과 사고력 확장

정답과 풀이 p.10

1 길이가 $12\frac{3}{4}$ cm인 향초에 불을 붙인 다음 한 시간 후 남은 향초의 길이를 재어보았더니 다음과 같았습니다. 길이가 $12\frac{3}{4}$ cm인 향초가 모두 타는 데 걸리는 시간은 몇 시간 몇 분인지 구해 보세요.

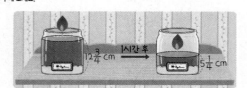

① 한 시간 동안 탄 향초의 길이는 몇 cm인지 구해 보세요.

($7\frac{1}{2}$ cm)

✧ (한 시간 동안 탄 향초의 길이)
= (처음 향초의 길이) − (남은 향초의 길이)
= $12\frac{3}{4} - 5\frac{1}{4} = 7\frac{2}{4} = 7\frac{1}{2}$ (cm)

② 길이가 $12\frac{3}{4}$ cm인 향초가 모두 타는 데 걸리는 시간은 몇 시간인지 분수로 나타내어 보세요.

($1\frac{7}{10}$ 시간)

✧ $12\frac{3}{4} \div 7\frac{1}{2} = \frac{51}{4} \div \frac{15}{2}$
= $\frac{\overset{17}{\cancel{51}}}{\underset{2}{\cancel{4}}} \times \frac{\overset{1}{\cancel{2}}}{\underset{5}{\cancel{15}}} = \frac{17}{10} = 1\frac{7}{10}$ (시간)

③ 길이가 $12\frac{3}{4}$ cm인 향초가 모두 타는 데 걸리는 시간은 몇 시간 몇 분인지 구해 보세요.

(**1시간 42분**)

✧ 1시간은 60분이므로 $1\frac{7}{10}$ 시간 = $1\frac{42}{60}$ 시간 = 1시간 42분 입니다.

40 · Run-A 6-2

---

2 같은 기호는 같은 수를 나타낼 때 B에 알맞은 수를 구해 보세요.

$$A \times \frac{8}{9} = \frac{2}{9} \qquad A \div B = \frac{9}{22}$$

① A에 알맞은 수를 구해 보세요.

($\frac{1}{4}$)

✧ $A \times \frac{8}{9} = \frac{2}{9}$ ➡ $A = \frac{2}{9} \div \frac{8}{9} = 2 \div 8 = \frac{\overset{1}{\cancel{2}}}{\underset{4}{\cancel{8}}} = \frac{1}{4}$

② B에 알맞은 수를 구해 보세요.

($\frac{11}{18}$)

✧ $A \div B = \frac{9}{22}$ 는 $\frac{1}{4} \div B = \frac{9}{22}$ 입니다.

➡ $B = \frac{1}{4} \div \frac{9}{22} = \frac{1}{\cancel{4}} \times \frac{\overset{11}{\cancel{22}}}{9} = \frac{11}{18}$

3 같은 기호는 같은 수를 나타낼 때 ㉯에 알맞은 수를 구해 보세요.

$$\frac{4}{5} \times ㉮ = \frac{2}{5} \qquad ㉮ \times ㉯ = \frac{3}{16}$$

① ㉮에 알맞은 수를 구해 보세요.

($\frac{1}{2}$)

✧ $\frac{4}{5} \times ㉮ = \frac{2}{5}$ ➡ $㉮ = \frac{2}{5} \div \frac{4}{5} = 2 \div 4 = \frac{\overset{1}{\cancel{2}}}{\underset{2}{\cancel{4}}} = \frac{1}{2}$

② ㉯에 알맞은 수를 구해 보세요.

($\frac{3}{8}$)

✧ $㉮ \times ㉯ = \frac{3}{16}$ 은 $\frac{1}{2} \times ㉯ = \frac{3}{16}$ 입니다.

➡ $㉯ = \frac{3}{16} \div \frac{1}{2} = \frac{3}{\underset{8}{\cancel{16}}} \times \overset{1}{\cancel{2}} = \frac{3}{8}$

1. 분수의 나눗셈 · 41

---

2 단계 교과 사고력 확장

정답과 풀이 p.10

4 다음과 같이 사다리를 타고 내려갔을 때 도착하는 곳에 계산 결과가 나오도록 기호에 알맞은 수를 각각 구해 보세요.

[사다리 타는 방법]
① 출발점에서 아래로 내려가다가 만나는 다리는 반드시 옆으로 건너야 합니다.
② 아래와 옆으로만 이동할 수 있습니다.
③ 지나가는 길에 있는 식은 차례대로 모두 계산합니다.

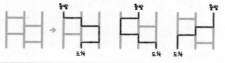

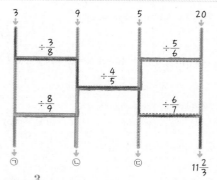

㉠ ($33\frac{3}{4}$), ㉡ (**27**), ㉢ (**7**)

✧ $9 \div \frac{3}{8} = 9 \times \frac{8}{3} = 24$, $24 \div \frac{8}{9} = 24 \times \frac{9}{8} = 27$ ➡ ㉡ = 27,

$5 \div \frac{5}{6} = \overset{1}{\cancel{5}} \times \frac{6}{\cancel{5}} = 6$, $6 \div \frac{6}{7} = \overset{1}{\cancel{6}} \times \frac{7}{\cancel{6}} = 7$ ➡ ㉢ = 7,

$20 \div \frac{5}{6} = 20 \times \frac{6}{5} = 24$, $24 \div \frac{4}{5} = 24 \times \frac{5}{4} = 30$,

$30 \div \frac{8}{9} = 30 \times \frac{9}{8} = \frac{135}{4} = 33\frac{3}{4}$ ➡ ㉠ = $33\frac{3}{4}$

42 · Run-A 6-2

---

5 보기 와 같이 약속할 때 다음을 계산한 값을 구해 보세요.

$$\begin{bmatrix} ㉮ & ㉯ \\ ㉰ & ㉱ \end{bmatrix} = ㉮ \div ㉱ - ㉯ \div ㉰$$

$$\begin{bmatrix} 1\frac{5}{6} & 1\frac{2}{7} \\ \frac{1}{4} & \frac{3}{5} \end{bmatrix}$$

① ㉮ ÷ ㉱의 값을 구해 보세요.

($7\frac{1}{3}$)

✧ $1\frac{5}{6} \div \frac{1}{4} = \frac{11}{6} \div \frac{1}{4} = \frac{11}{\underset{3}{\cancel{6}}} \times \overset{2}{\cancel{4}} = \frac{22}{3} = 7\frac{1}{3}$

② ㉯ ÷ ㉰의 값을 구해 보세요.

($2\frac{1}{7}$)

✧ $1\frac{2}{7} \div \frac{3}{5} = \frac{9}{7} \div \frac{3}{5} = \frac{\overset{3}{\cancel{9}}}{7} \times \frac{5}{\cancel{3}} = \frac{15}{7} = 2\frac{1}{7}$

③ ㉮ ÷ ㉱ − ㉯ ÷ ㉰의 값을 구해 보세요.

($5\frac{4}{21}$)

✧ $7\frac{1}{3} - 2\frac{1}{7} = 7\frac{7}{21} - 2\frac{3}{21} = 5\frac{4}{21}$

6 보기 와 같이 약속할 때 다음을 계산한 값을 구해 보세요.

$$\left\langle \begin{matrix} A & B \\ C & D \end{matrix} \right\rangle = A \div B - C \div D$$

$$\left\langle \begin{matrix} 6\frac{7}{8} & \frac{5}{6} \\ 5\frac{1}{3} & \frac{4}{5} \end{matrix} \right\rangle$$

($1\frac{7}{12}$)

✧ $A \div B = 6\frac{7}{8} \div \frac{5}{6} = \frac{55}{8} \div \frac{5}{6} = \frac{\overset{11}{\cancel{55}}}{\underset{4}{\cancel{8}}} \times \frac{\overset{3}{\cancel{6}}}{\cancel{5}} = \frac{33}{4} = 8\frac{1}{4}$

1. 분수의 나눗셈 · 43

$C \div D = 5\frac{1}{3} \div \frac{4}{5} = \frac{16}{3} \div \frac{4}{5} = \frac{\overset{4}{\cancel{16}}}{3} \times \frac{5}{\cancel{4}} = \frac{20}{3} = 6\frac{2}{3}$

➡ $A \div B - C \div D = 8\frac{1}{4} - 6\frac{2}{3} = 8\frac{3}{12} - 6\frac{8}{12} = 7\frac{15}{12} - 6\frac{8}{12} = 1\frac{7}{12}$

3 단계 교과 사고력 완성

정답과 풀이 p.11

1 달의 중력은 지구의 $\frac{1}{6}$이어서 달에서의 무게는 지구에서의 무게의 $\frac{1}{6}$입니다. 지구에서의 현서의 몸무게는 몇 kg인지 구해 보세요.

□개념 이해력 ☑개념 응용력 □창의력 □문제 해결력

달에서 내 몸무게는 5 kg이야.

현서

▲ 출처 ⓒNada Serlic/shutterstock, ⓒClaudio Divizia/shutterstock

(**30 kg**)

❖ 지구에서의 현서의 몸무게를 □ kg이라 하면 $\square \times \frac{1}{6} = 5$입니다.

➡ $\square = 5 \div \frac{1}{6} = 5 \times 6 = 30$

2 조의를 표하는 날에는 다음과 같이 태극기를 깃봉으로부터 태극기의 세로 길이만큼 내려서 게양합니다. 태극기의 가로는 세로의 몇 배인지 구해 보세요.

□개념 이해력 ☑개념 응용력 □창의력 □문제 해결력

깃봉

$1\frac{1}{4}$ m

$1\frac{7}{8}$ m

($1\frac{1}{2}$배)

❖ 태극기를 $1\frac{1}{4}$ m만큼 내려서 게양했으므로 태극기의 세로는 $1\frac{1}{4}$ m입니다.

44 · Run–A 6–2

➡ $1\frac{7}{8} \div 1\frac{1}{4} = \frac{15}{8} \div \frac{5}{4} = \frac{\overset{3}{\cancel{15}}}{\cancel{8}} \times \frac{\cancel{4}}{\cancel{5}} = \frac{3}{2} = 1\frac{1}{2}$(배)

3 칠교판 조각 중 2조각만 사용하여 모양 가와 나를 각각 만들었습니다. 모양을 만드는 데 사용한 조각에 써 있는 분수의 합을 모양의 넓이로 한다면 가의 넓이는 나의 넓이의 몇 배인지 구해 보세요.

□개념 이해력 □개념 응용력 ☑창의력 □문제 해결력

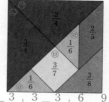 

가 예

나 예

($1\frac{67}{68}$배)

❖ (가의 넓이)$= \frac{3}{8} + \frac{3}{4} = \frac{3}{8} + \frac{6}{8} = \frac{9}{8}$

(나의 넓이)$= \frac{1}{6} + \frac{2}{5} = \frac{5}{30} + \frac{12}{30} = \frac{17}{30}$

따라서 $\frac{9}{8} \div \frac{17}{30} = \frac{9}{8} \times \frac{\overset{15}{\cancel{30}}}{17} = \frac{135}{68} = 1\frac{67}{68}$(배)입니다.

4 떨어뜨린 높이의 $\frac{4}{5}$만큼 튀어 오르는 공이 있습니다. 이 공이 두 번째로 튀어 오른 높이가 $1\frac{3}{7}$ m라면 처음에 공을 떨어뜨린 높이는 몇 m인지 구해 보세요.

□개념 이해력 □개념 응용력 □창의력 ☑문제 해결력

?m

$1\frac{3}{7}$ m

($2\frac{13}{56}$ m)

❖ 처음에 공을 떨어뜨린 높이를 □ m라 하면

(첫 번째로 튀어 오른 높이)$= \square \times \frac{4}{5}$,

(두 번째로 튀어 오른 높이)$= \square \times \frac{4}{5} \times \frac{4}{5} = 1\frac{3}{7}$입니다.

1. 분수의 나눗셈 · 45

➡ $\square = 1\frac{3}{7} \div \frac{4}{5} \div \frac{4}{5} = \frac{10}{7} \div \frac{4}{5} \div \frac{4}{5} = \frac{\overset{5}{\cancel{10}}}{7} \times \frac{5}{\cancel{4}} \times \frac{5}{4} = \frac{125}{56} = 2\frac{13}{56}$입니다.

Test 종합평가   1. 분수의 나눗셈

맞은 개수

정답과 풀이 p.11

1 그림을 보고 □ 안에 알맞은 수를 써넣으세요.

0   $\frac{1}{6}$ $\frac{2}{6}$ $\frac{3}{6}$ $\frac{4}{6}$ $\frac{5}{6}$ 1

$\frac{5}{6}$에는 $\frac{1}{6}$이 $\boxed{5}$번 들어갑니다. ➡ $\frac{5}{6} \div \frac{1}{6} = \boxed{5}$

2 □ 안에 알맞은 수를 써넣으세요.

$\frac{6}{7}$은 $\frac{1}{7}$이 $\boxed{6}$개이고 $\frac{2}{7}$는 $\frac{1}{7}$이 $\boxed{2}$개이므로 $\frac{6}{7} \div \frac{2}{7} = \boxed{3}$입니다.

❖ $\frac{6}{7}$은 $\frac{1}{7}$이 6개이고 $\frac{2}{7}$는 $\frac{1}{7}$이 2개이므로 $\frac{6}{7} \div \frac{2}{7}$는 6÷2를 계산한 결과와 같습니다.

3 □ 안에 알맞은 수를 써넣으세요.

(1) $\frac{6}{7} \div \frac{3}{14} = \frac{\boxed{12}}{14} \div \frac{3}{14} = \boxed{12} \div 3 = \boxed{4}$

(2) $\frac{7}{8} \div \frac{7}{24} = \frac{\boxed{21}}{24} \div \frac{7}{24} = \boxed{21} \div 7 = \boxed{3}$

❖ 분모가 다른 (분수)÷(분수)는 분모를 같게 통분하여 계산합니다.

4 ㉠, ㉡, ㉢에 알맞은 수의 합을 구해 보세요.

$\frac{4}{7} \div \frac{3}{5} = \frac{4}{7} \times \frac{㉠}{㉡} = \frac{20}{㉢}$

❖ $\frac{4}{7} \div \frac{3}{5} = \frac{4}{7} \times \frac{5}{3} = \frac{20}{21}$이므로 (**29**)

46 · Run–A 6–2

㉠=5, ㉡=3, ㉢=21입니다.

따라서 ㉠+㉡+㉢=5+3+21=29입니다.

5 보기와 같이 계산해 보세요.

보기
$9 \div \frac{3}{7} = (9 \div 3) \times 7 = 21$

$10 \div \frac{5}{9} = (10 \div 5) \times 9 = 18$

❖ $\bullet \div \frac{\triangle}{\blacksquare} = (\bullet \div \triangle) \times \blacksquare$

6 나눗셈식을 곱셈식으로 나타내어 계산해 보세요.

(1) $\frac{4}{7} \div \frac{3}{5} = \frac{4}{7} \times \frac{5}{3} = \frac{20}{21}$ (2) $\frac{3}{8} \div \frac{5}{9} = \frac{3}{8} \times \frac{9}{5} = \frac{27}{40}$

(3) $\frac{4}{9} \div \frac{7}{10} = \frac{4}{9} \times \frac{10}{7} = \frac{40}{63}$ (4) $\frac{8}{13} \div \frac{7}{8} = \frac{8}{13} \times \frac{8}{7} = \frac{64}{91}$

❖ $\frac{\bullet}{\star} \div \frac{\triangle}{\blacksquare} = \frac{\bullet}{\star} \times \frac{\blacksquare}{\triangle}$

7 계산 결과를 비교하여 ○ 안에 >, =, <를 알맞게 써넣으세요.

$12 \div \frac{2}{7}$ ⊙ > $15 \div \frac{5}{8}$

❖ $12 \div \frac{2}{7} = (12 \div 2) \times 7 = 42$, $15 \div \frac{5}{8} = (15 \div 5) \times 8 = 24$

➡ 42 > 24

8 가장 큰 수를 가장 작은 수로 나눈 몫을 구해 보세요.

$1\frac{8}{9}$ $\frac{5}{6}$ $3\frac{1}{2}$

❖ $3\frac{1}{2} > 1\frac{8}{9} > \frac{5}{6}$이므로 ($4\frac{1}{5}$)

$3\frac{1}{2} \div \frac{5}{6} = \frac{7}{2} \div \frac{5}{6} = \frac{7}{\cancel{2}} \times \frac{\overset{3}{\cancel{6}}}{5} = \frac{21}{5} = 4\frac{1}{5}$입니다.

1. 분수의 나눗셈 · 47

Test 종합평가   1. 분수의 나눗셈
정답과 풀이 p.12

9 넓이가 $1\frac{5}{16}$ m²인 평행사변형이 있습니다. 높이가 $\frac{3}{4}$ m일 때 밑변의 길이는 몇 m인지 구해 보세요.

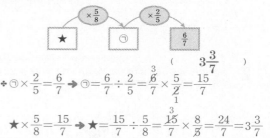

($1\frac{3}{4}$ m)

❖ (밑변의 길이)=(평행사변형의 넓이)÷(높이)

$=1\frac{5}{16}\div\frac{3}{4}=\frac{21}{16}\div\frac{3}{4}=\frac{21}{16}\times\frac{4}{3}=\frac{7}{4}=1\frac{3}{4}$ (m)

10 □안에 알맞은 수를 구해 보세요.

$\boxed{\quad}\times\frac{5}{12}=\frac{8}{15}$

($1\frac{7}{25}$)

❖ □ $\times\frac{5}{12}=\frac{8}{15}$ ➡ □ $=\frac{8}{15}\div\frac{5}{12}=\frac{8}{15}\times\frac{12}{5}=\frac{32}{25}=1\frac{7}{25}$

11 수직선에서 0과 1 사이를 8등분 하였습니다. ㉡÷㉠의 값을 구해 보세요.

($2\frac{1}{3}$)

❖ 눈금 한 칸의 크기가 $\frac{1}{8}$ 이므로 ㉠ $\frac{3}{8}$, ㉡ $\frac{7}{8}$ 입니다.

따라서 ㉡÷㉠ $=\frac{7}{8}\div\frac{3}{8}=7\div3=\frac{7}{3}=2\frac{1}{3}$ 입니다.

12 어느 가게에서 설탕 $\frac{5}{12}$ kg의 가격이 1000원입니다. 이 설탕 6 kg의 가격은 얼마인지 구해 보세요.

(**14400원**)

❖ (설탕 1 kg의 가격)$=1000\div\frac{5}{12}=(1000\div5)\times12$
$=2400$(원)

➡ (설탕 6 kg의 가격)$=2400\times6=14400$(원)

48 · Run- A 6-2

13 같은 모양은 같은 수를 나타낼 때 ▲에 알맞은 수를 구해 보세요.

$\blacksquare\times\frac{6}{11}=\frac{3}{11}$ | $\blacksquare\div\blacktriangle=\frac{3}{5}$

($\frac{5}{6}$)

❖ $\blacksquare\times\frac{6}{11}=\frac{3}{11}$ ➡ $\blacksquare=\frac{3}{11}\div\frac{6}{11}=3\div6=\frac{3}{6}=\frac{1}{2}$

$\blacksquare\div\blacktriangle=\frac{3}{5}$ 은 $\frac{1}{2}\div\blacktriangle=\frac{3}{5}$ 입니다. ➡ $\blacktriangle=\frac{1}{2}\div\frac{3}{5}=\frac{1}{2}\times\frac{5}{3}=\frac{5}{6}$

14 ★에 알맞은 수를 구해 보세요.

★ → ㉠ → $\frac{6}{7}$ ($\times\frac{5}{8}$) ($\times\frac{2}{5}$)

($3\frac{3}{7}$)

❖ ㉠ $\times\frac{2}{5}=\frac{6}{7}$ ➡ ㉠ $=\frac{6}{7}\div\frac{2}{5}=\frac{6}{7}\times\frac{5}{2}=\frac{15}{7}$

★ $\times\frac{5}{8}=\frac{15}{7}$ ➡ ★ $=\frac{15}{7}\div\frac{5}{8}=\frac{15}{7}\times\frac{8}{5}=\frac{24}{7}=3\frac{3}{7}$

15 물이 $2\frac{3}{4}$ L 들어 있는 8 L 들이의 물통에 물을 가득 채우려고 합니다. $\frac{1}{4}$ L 들이의 그릇으로 적어도 몇 번 부어야 하는지 구해 보세요.

(**21번**)

❖ (더 부어야 하는 물의 양)$=8-2\frac{3}{4}=7\frac{4}{4}-2\frac{3}{4}=5\frac{1}{4}$(L)

(그릇으로 부어야 하는 횟수)$=5\frac{1}{4}\div\frac{1}{4}=\frac{21}{4}\div\frac{1}{4}=\frac{21}{4}\times\frac{4}{1}=21$(번)

1. 분수의 나눗셈 · 49

Test 종합평가   1. 분수의 나눗셈
정답과 풀이 p.12

16 수 카드 4장을 한 번씩 모두 사용하여 계산 결과가 가장 작은 (자연수)÷(대분수)를 만들고 계산해 보세요.

$\boxed{4}\boxed{5}\boxed{7}\boxed{9}$ ➡ $\boxed{4}\div\boxed{9}\frac{5}{7}$

($\frac{7}{17}$)

❖ $4\div9\frac{5}{7}=4\div\frac{68}{7}=4\times\frac{7}{68}=\frac{7}{17}$

❖ 1시간은 60분이므로 36분은 $\frac{36}{60}$ 시간$=\frac{3}{5}$ 시간입니다.

17 서진이는 2 km를 걷는 데 36분이 걸렸습니다. 서진이가 같은 빠르기로 $4\frac{1}{2}$ 시간 동안 갈 수 있는 거리는 몇 km인지 구해 보세요.

(**15 km**)

(한 시간 동안 갈 수 있는 거리)$=2\div\frac{3}{5}=2\times\frac{5}{3}=\frac{10}{3}=3\frac{1}{3}$ (km)

➡ $3\frac{1}{3}\times4\frac{1}{2}=\frac{10}{3}\times\frac{9}{2}=15$ (km)

18 떨어뜨린 높이의 $\frac{5}{6}$ 만큼 튀어 오르는 공이 있습니다. 이 공이 세 번째로 튀어 오른 높이가 $2\frac{2}{9}$ m라면 처음에 공을 떨어뜨린 높이는 몇 m인지 구해 보세요.

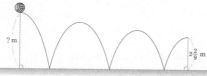
? m $2\frac{2}{9}$ m

($3\frac{21}{25}$ m)

❖ 처음에 공을 떨어뜨린 높이를 □m라 하면

(첫 번째로 튀어 오른 높이)$=$□ $\times\frac{5}{6}$. (두 번째로 튀어 오른 높이)$=$□ $\times\frac{5}{6}\times\frac{5}{6}$

(세 번째로 튀어 오른 높이)$=$□ $\times\frac{5}{6}\times\frac{5}{6}\times\frac{5}{6}=2\frac{2}{9}$ 입니다.

50 · Run- A 6-2

특강 창의·융합 사고력
정답과 풀이 p.12

1 윤호와 미라가 갖고 있는 페인트를 모두 사용하여 가로는 $6\frac{1}{9}$ m, 세로는 $2\frac{2}{5}$ m인 직사각형 모양의 벽을 칠하였습니다. 페인트 1 L로 몇 m²의 벽을 칠한 셈인지 구해 보세요.

난 페인트를 2 L 사용했어.   난 페인트를 1$\frac{1}{3}$ L 사용했어.
윤호   미라

($4\frac{2}{5}$ m²)

❖ (벽의 넓이)$=6\frac{1}{9}\times2\frac{2}{5}=14\frac{2}{3}$ (m²),

(페인트의 양)$=2+1\frac{1}{3}=3\frac{1}{3}$ (L)

➡ $14\frac{2}{3}\div3\frac{1}{3}=\frac{44}{3}\div\frac{10}{3}=\frac{44}{3}\times\frac{3}{10}=\frac{22}{5}=4\frac{2}{5}$ (m²)

2 네 사람이 각각 물을 마셨습니다. 예지가 마신 물의 양이 $\frac{9}{20}$ L일 때 강호가 마신 물의 양은 몇 L인지 구해 보세요.

난 □L 마셨어.   난 강호의 $\frac{8}{9}$ 만큼 마셨어.   난 서희의 $\frac{9}{10}$ 만큼 마셨어.   난 민기의 $\frac{3}{4}$ 만큼 마셨어.
강호   서희   민기   예지

($\frac{3}{4}$ L)

❖ (예지)$=$(민기)$\times\frac{3}{4}=\frac{9}{20}$

➡ (민기)$=\frac{9}{20}\div\frac{3}{4}=\frac{9}{20}\times\frac{4}{3}=\frac{3}{5}$ (L)

1. 분수의 나눗셈 · 51

(민기)$=$(서희)$\times\frac{9}{10}=\frac{3}{5}$ ➡ (서희)$=\frac{3}{5}\div\frac{9}{10}=\frac{3}{5}\times\frac{10}{9}=\frac{2}{3}$ (L)

(서희)$=$(강호)$\times\frac{8}{9}=\frac{2}{3}$ ➡ (강호)$=\frac{2}{3}\div\frac{8}{9}=\frac{2}{3}\times\frac{9}{8}=\frac{3}{4}$ (L)

□ $=2\frac{2}{9}\div\frac{5}{6}\div\frac{5}{6}\div\frac{5}{6}=\frac{20}{9}\div\frac{5}{6}\div\frac{5}{6}\div\frac{5}{6}$

$=\frac{20}{9}\times\frac{6}{5}\times\frac{6}{5}\times\frac{6}{5}=\frac{96}{25}=3\frac{21}{25}$ 입니다.

2 소수의 나눗셈

똑같이 자르기

지연이네 반 친구들은 학예회에서 연극을 하기로 했습니다. 각자 연극 소품에 필요한 장식을 열심히 만들고 있습니다. 친구들이 만든 소품을 알아볼까요?

철사 0.6 m로 꽃 1송이를 만들 수 있습니다. 철사 2.4 m를 0.6 m씩 자르면 0.6+0.6+0.6+0.6=2.4 (m)이므로 꽃 4송이를 만들 수 있습니다.

무대 배경은 가로 4.4 m, 세로 2.2 m인 직사각형입니다. 4.4 m를 2.2 m씩 자르면 2.2+2.2=4.4이므로 무대 배경의 가로는 세로의 2배입니다.

➡ 소수의 덧셈과 뺄셈으로 구할 수도 있지만 4.4÷2.2와 같이 소수의 나눗셈을 통해 간단히 구할 수 있습니다. 먼저 1학기 때 배운 (소수)÷(자연수)를 복습해 볼까요?

52 · Run-A 6-2

🦉 □ 안에 알맞은 수를 써넣으세요.

❖ 나누어지는 수가 $\frac{1}{10}$배, $\frac{1}{100}$배가 되면 몫도 $\frac{1}{10}$배, $\frac{1}{100}$배가 됩니다.

🏮 □ 안에 알맞은 수를 써넣으세요.

❶ $6.9÷3=\frac{69}{10}÷3=\frac{69÷3}{10}=\frac{23}{10}=2.3$

❷ $3.28÷4=\frac{328}{100}÷4=\frac{328÷4}{100}=\frac{82}{100}=0.82$

❖ 분수의 나눗셈으로 계산합니다.

🎓 관계있는 것끼리 선으로 이어 보세요.

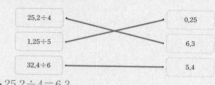

❖ 25.2÷4=6.3
1.25÷5=0.25
32.4÷6=5.4

2. 소수의 나눗셈 · 53

1단계 교과서 개념 잡기

개념 확인 문제

🟢 정답과 풀이 p.13

개념 1 자연수의 나눗셈을 이용하여 (소수)÷(소수) 계산하기

· 색 테이프 1.6 cm를 0.4 cm씩 자르기

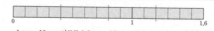

1 cm=10 mm이므로 1.6 cm=16 mm, 0.4 cm=4 mm입니다.
색 테이프 1.6 cm를 0.4 cm씩 자르는 것은
색 테이프 16 mm를 4 mm씩 자르는 것과 같습니다.
➡ 1.6÷0.4=16÷4=4

나누는 수와 나누어지는 수에 똑같이 10배 또는 100배를 하여 (자연수)÷(자연수)로 계산합니다.

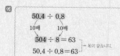

개념 2 자릿수가 같은 (소수)÷(소수) 알아보기

· 7.5÷0.3의 계산

방법1 분수의 나눗셈으로 계산하기

$7.5÷0.3=\frac{75}{10}÷\frac{3}{10}=75÷3=25$

방법2 세로로 계산하기

7.5÷0.3은 7.5와 0.3의 소수점을 옮긴 75÷3과 몫이 같습니다.

54 · Run-A 6-2

1-1 □ 안에 알맞은 수를 써넣으세요.

끈 46.8 cm를 0.9 cm씩 자르려고 합니다.
46.8 cm=468 mm, 0.9 cm= 9 mm입니다.
끈 46.8 cm를 0.9 cm씩 자르는 것은 끈 468 mm를 9 mm씩 자르는 것과 같습니다.

$46.8÷0.9=468÷ 9 = 52$

❖ 1 cm=10 mm임을 이용하여 계산합니다.

1-2 자연수의 나눗셈을 이용하여 소수의 나눗셈을 계산해 보세요.

(1) 32.8÷0.8
10배 10배
328÷8= 41
32.8÷0.8= 41

(2) 3.28÷0.08
100배 100배
328÷8= 41
3.28÷0.08= 41

2-1 □ 안에 알맞은 수를 써넣으세요.

(1) $20.8÷0.4=\frac{208}{10}÷\frac{4}{10}= 208 ÷4= 52$

(2) $5.76÷0.08=\frac{576}{100}÷\frac{8}{100}= 576 ÷8= 72$

❖ (1) 분모가 10인 분수의 나눗셈으로 계산합니다.
(2) 분모가 100인 분수의 나눗셈으로 계산합니다.

2-2 계산해 보세요.

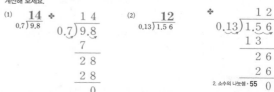

❖ 나누는 수와 나누어지는 수의 소수점을 똑같이 옮겨서 계산합니다.

2. 소수의 나눗셈 · 55

3주 교과서

정답과 풀이 · 13

1단계 교과서 개념 잡기

개념 3 자릿수가 다른 (소수)÷(소수) 알아보기

· 6.48÷2.4의 계산

방법1 나누어지는 수와 나누는 수를 각각 100배씩 하여 계산하기

$2.4\overline{)6.4\,8}$ → $2.40\overline{)6.4\,8}$ → $240\overline{)648.0}$

└ 소수점을 오른쪽으로
두 자리씩 옮깁니다.

방법2 나누어지는 수와 나누는 수를 각각 10배씩 하여 계산하기

$2.4\overline{)6.4\,8}$ → $2.4\overline{)6.4\,8}$ → $24\overline{)64.8}$

└ 소수점을 오른쪽으로
한 자리씩 옮깁니다.

개념 4 (자연수)÷(소수) 알아보기

· 9÷0.45의 계산

방법1 분수의 나눗셈으로 계산하기

$$9 \div 0.45 = \frac{900}{100} \div \frac{45}{100} = 900 \div 45 = 20$$

방법2 자연수의 나눗셈을 이용하여 계산하기

$$9 \div 0.45 = 20 \quad 900 \div 45 = 20$$
(100배)

방법3 세로로 계산하기

$0.45\overline{)9}$ → $0.45\overline{)9.0\,0}$ → $45\overline{)900}$

└ 9 오른쪽에 소수점과
0을 2개 쓰고 소수점을
옮깁니다.

56 · Run-A 6-2

개념 확인 문제

정답과 풀이 p.14

3-1 □ 안에 알맞은 수를 써넣으세요.

(1) $1.95 \div 1.5 = \boxed{195} \div 150 = \boxed{1.3}$

(2) $3.38 \div 1.3 = 33.8 \div \boxed{13} = \boxed{2.6}$

❖ (1) 나누는 수와 나누어지는 수에 똑같이 100을 곱합니다.
(2) 나누는 수와 나누어지는 수에 똑같이 10을 곱합니다.

3-2 계산해 보세요.

(1) $0.8\overline{)3.84}$ → $\frac{4.8}{0.8\overline{)3.8\,4}}$

$\begin{array}{r} 3\ 2 \\ \hline 6\ 4 \\ 6\ 4 \\ \hline 0 \end{array}$

(2) $2.2\overline{)6.16}$ → $\frac{2.8}{2.2\overline{)6.1\,6}}$

$\begin{array}{r} 4\ 4 \\ \hline 1\ 7\ 6 \\ 1\ 7\ 6 \\ \hline 0 \end{array}$

❖ 나누는 수와 나누어지는 수의 소수점을 똑같이 옮겨서 계산합니다.

4-1 보기와 같이 분수의 나눗셈으로 바꾸어 계산해 보세요.

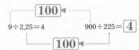

보기
$903 \div 2.1 = \frac{9030}{10} \div \frac{21}{10} = 9030 \div 21 = 430$

$432 \div 4.8 = \frac{4320}{10} \div \frac{48}{10} = 4320 \div 48 = 90$

❖ 분모가 10인 분수로 바꾸어 계산합니다.

4-2 □ 안에 알맞은 수를 써넣으세요.

$9 \div 2.25 = 4 \quad 900 \div 225 = \boxed{4}$
(100배) (100배)

❖ 나누어지는 수와 나누는 수에 같은 수를 곱하여도 몫은 변하지 않습니다.

2. 소수의 나눗셈 · 57

1단계 교과서 개념 잡기

개념 5 몫을 반올림하여 나타내기

❖ 7.7÷6의 계산

$6\overline{)7.7}$

$\begin{array}{r} 1.2\ 8\ 3\ 3\ \cdots \\ \hline 6 \\ \hline 1\ 7 \\ 1\ 2 \\ \hline 5\ 0 \\ 4\ 8 \\ \hline 2\ 0 \\ 1\ 8 \\ \hline 2\ 0 \\ 1\ 8 \\ \hline 2 \end{array}$

· 몫을 반올림하여 일의 자리까지 나타내기

7.7을 6으로 나눈 몫의 소수 첫째 자리 숫자가 2이므로 반올림하여 일의 자리까지 나타내면 1입니다.

$7.7 \div 6 = 1.2 \cdots\cdots \rightarrow 1$

· 몫을 반올림하여 소수 첫째 자리까지 나타내기

7.7을 6으로 나눈 몫의 소수 둘째 자리 숫자가 8이므로 반올림하여 소수 첫째 자리까지 나타내면 1.3입니다.

$7.7 \div 6 = 1.28 \cdots\cdots \rightarrow 1.3$

· 몫을 반올림하여 소수 둘째 자리까지 나타내기

7.7을 6으로 나눈 몫의 소수 셋째 자리 숫자가 3이므로 반올림하여 소수 둘째 자리까지 나타내면 1.28입니다.

$7.7 \div 6 = 1.283 \cdots\cdots \rightarrow 1.28$

참고
반올림은 구하려는 자리 바로 아래 자리의 숫자가 0, 1, 2, 3, 4이면 버리고 5, 6, 7, 8, 9이면 올려서 어림하는 방법입니다.

58 · Run-A 6-2

개념 확인 문제

정답과 풀이 p.14

5-1 4.7÷0.6의 몫을 반올림하여 나타내려고 합니다. 물음에 답하세요.

(1) 4.7÷0.6의 몫을 소수 셋째 자리까지 계산해 보세요.

$0.6\overline{)4.7}$

$\begin{array}{r} 7.8\ 3\ 3 \\ \hline 4\ 2 \\ \hline 5\ 0 \\ 4\ 8 \\ \hline 2\ 0 \\ 1\ 8 \\ \hline 2\ 0 \\ 1\ 8 \end{array}$

(2) 몫을 반올림하여 일의 자리까지 나타내어 보세요.
(8)

(3) 몫을 반올림하여 소수 첫째 자리까지 나타내어 보세요.
(7.8)

(4) 몫을 반올림하여 소수 둘째 자리까지 나타내어 보세요.
(7.83)

❖ (2) 소수 첫째 자리 숫자가 8이므로 올립니다.
(3) 소수 둘째 자리 숫자가 3이므로 버립니다.
(4) 소수 셋째 자리 숫자가 3이므로 버립니다.

5-2 몫을 반올림하여 소수 첫째 자리까지 나타내어 보세요.

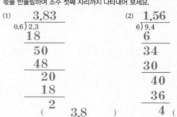

(1)
$0.6\overline{)2.3}$

$\begin{array}{r} 3.8\ 3 \\ \hline 1\ 8 \\ \hline 5\ 0 \\ 4\ 8 \\ \hline 2\ 0 \\ 1\ 8 \\ \hline 2 \end{array}$
(3.8)

(2)
$6\overline{)9.4}$

$\begin{array}{r} 1.5\ 6 \\ \hline 6 \\ \hline 3\ 4 \\ 3\ 0 \\ \hline 4\ 0 \\ 3\ 6 \\ \hline 4 \end{array}$
(1.6)

2. 소수의 나눗셈 · 59

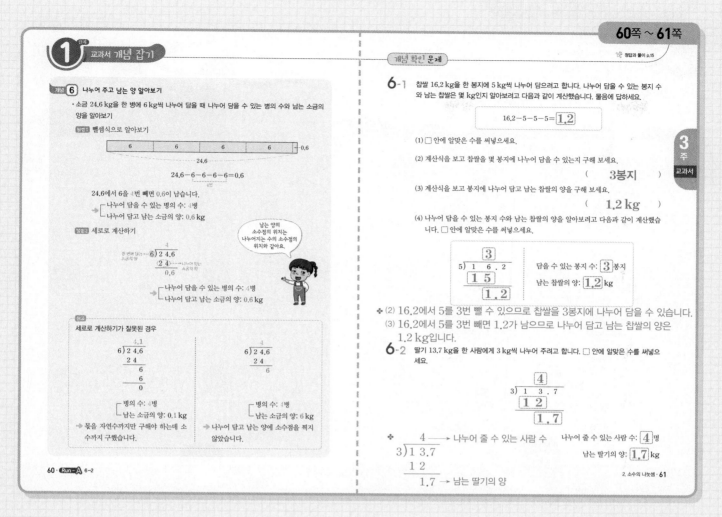

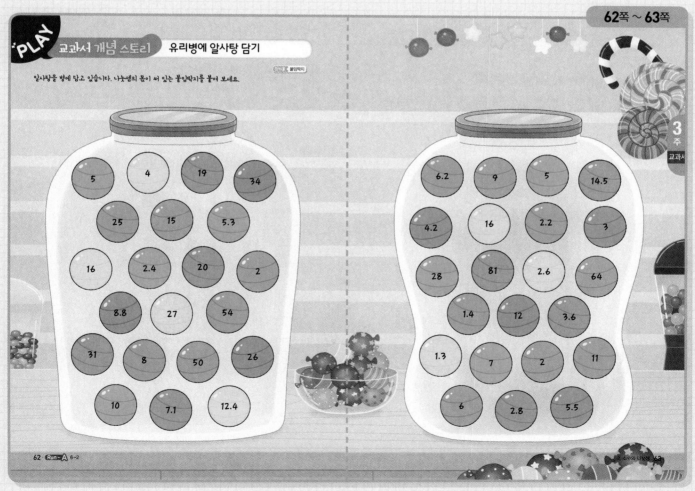

PLAY 교과서 개념 스토리 봉지에 사과 담기

과일

사과를 봉지에 나누어 담으려고 합니다. 봉지 수와 남는 사과의 양에 알맞게 붙임딱지를 붙여 보세요.

64 · Run-A 6-2

2. 소수의 나눗셈 · 65

2 단계 교과서 개념 다지기

정답과 풀이 p.16

개념 1 자연수의 나눗셈을 이용하여 (소수)÷(소수) 계산하기

01 음료수 0.8 L를 0.2 L씩 컵에 나누어 담으려고 합니다. 그림을 0.2 L씩 나누어 본 후 컵이 몇 개 필요한지 구해 보세요.

0.8 L

(**4개**)

❖ 0.8에서 0.2씩 4번 담을 수 있습니다.

02 자연수의 나눗셈을 이용하여 □ 안에 알맞은 수를 써넣으세요.

$$344 \div 43 = 8$$
$$34.4 \div 4.3 = \boxed{8}$$
$$3.44 \div 0.43 = \boxed{8}$$

❖ 34.4÷4.3에서 두 수에 각각 10배를 하고, 3.44÷0.43에서 두 수에 각각 100배를 하면 344÷43과 몫이 같습니다.

03 자연수의 나눗셈을 이용하여 □ 안에 알맞은 수를 써넣으세요.

(1) 1.8 ÷ 0.3
10배 10배
$\boxed{18} \div \boxed{3} = \boxed{6}$
1.8÷0.3 = $\boxed{6}$

(2) 2.03÷0.29
100배 100배
$\boxed{203} \div \boxed{29} = \boxed{7}$
2.03÷0.29 = $\boxed{7}$

❖ 나누어지는 수와 나누는 수에 똑같이 10배 또는 100배를 하여 자연수의 나눗셈으로 계산합니다.

66 · Run-A 6-2

개념 2 자릿수가 같은 (소수)÷(소수) 알아보기

04 보기와 같이 분수의 나눗셈으로 바꾸어 계산해 보세요.

보기
$$6.3 \div 0.9 = \frac{63}{10} \div \frac{9}{10} = 63 \div 9 = 7$$

$$5.2 \div 0.4 = \frac{52}{10} \div \frac{4}{10} = 52 \div 4 = 13$$

❖ 소수 한 자리 수는 분모가 10인 분수로 바꾸어 계산합니다.

05 빈칸에 알맞은 수를 써넣으세요.

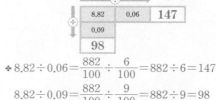

	÷	
8.82	0.06	**147**
0.09		
98		

❖ $8.82 \div 0.06 = \frac{882}{100} \div \frac{6}{100} = 882 \div 6 = 147$

$8.82 \div 0.09 = \frac{882}{100} \div \frac{9}{100} = 882 \div 9 = 98$

06 평행사변형의 넓이가 20.4 cm²입니다. 이 평행사변형의 밑변의 길이가 3.4 cm일 때 높이는 몇 cm인지 구해 보세요.

3.4 cm

(**6 cm**)

❖ (평행사변형의 넓이)=(밑변의 길이)×(높이)
➔ (높이)=(평행사변형의 넓이)÷(밑변의 길이)
➔ 20.4÷3.4=6(cm)

2. 소수의 나눗셈 · 67

 **교과서 개념 다지기**

정답과 풀이 p.17

개념 3 자릿수가 다른 (소수)÷(소수) 알아보기

07 빈칸에 알맞은 수를 써넣으세요.

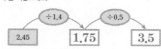

❖ 2.45÷1.4=245÷140=1.75,
1.75÷0.5=175÷50=3.5

08 계산 결과를 비교하여 ○ 안에 >, =, <를 알맞게 써넣으세요.

(1) 8.33÷1.7 ⟩ 11.52÷2.4

(2) 7.92÷3.6 ⟩ 6.72÷3.2

❖ (1) 8.33÷1.7=4.9, 11.52÷2.4=4.8 ➡ 4.9>4.8
(2) 7.92÷3.6=2.2, 6.72÷3.2=2.1 ➡ 2.2>2.1

09 다음은 잘못 계산한 식입니다. 바르게 계산해 보세요.

$$\begin{array}{r} 0.26 \\ 6.4{\overline{\smash{\big)}\,16.64}} \\ 128 \\ \hline 384 \\ 384 \\ \hline 0 \end{array}$$
➡
예)
$$\begin{array}{r} 2.6 \\ 6.4{\overline{\smash{\big)}\,16.64}} \\ 128 \\ \hline 384 \\ 384 \\ \hline 0 \end{array}$$

❖ 소수점을 옮겨서 계산하는 경우 몫의 소수점은 나누어지는

68 · Run-A 6-2

수의 옮긴 소수점 위치에 맞추어야 합니다.

개념 4 (자연수)÷(소수) 알아보기

10 보기 와 같이 분수의 나눗셈으로 바꾸어 계산해 보세요.

보기
$$16÷0.32=\frac{1600}{100}÷\frac{32}{100}=1600÷32=50$$

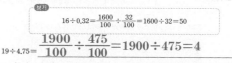

19÷4.75 = $\frac{1900}{100}÷\frac{475}{100}$ = 1900÷475 = 4

❖ 나누는 수가 소수 두 자리 수이므로 분모가 100인 분수로 바꾸어 계산합니다.

11 계산 결과가 같은 것끼리 선으로 이어 보세요.

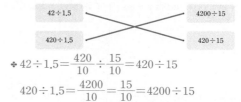

❖ 42÷1.5 = $\frac{420}{10}÷\frac{15}{10}$ = 420÷15

420÷1.5 = $\frac{4200}{10}=\frac{15}{10}$ = 4200÷15

12 길이가 28 m인 색 테이프를 0.7 m씩 잘라 리본을 만들려고 합니다. 리본을 몇 개 만들 수 있는지 식을 쓰고 답을 구해 보세요.

식 28÷0.7=40

답 40개

❖ (만들 수 있는 리본 수)=28÷0.7=$\frac{280}{10}÷\frac{7}{10}$
=280÷7=40(개)

2. 소수의 나눗셈 · 69

교과서 개념 다지기

정답과 풀이 p.17

개념 5 몫을 반올림하여 나타내기

13 나눗셈식을 보고 물음에 답하세요.

7.6÷6

(1) 몫을 반올림하여 일의 자리까지 나타내어 보세요.

(1)

(2) 몫을 반올림하여 소수 첫째 자리까지 나타내어 보세요.

(1.3)

❖ 7.6÷6=1.26……
(1) 반올림하여 일의 자리까지 나타내면 1입니다.
(2) 반올림하여 소수 첫째 자리까지 나타내면 1.3입니다.

14 소수를 자연수로 나눈 몫을 반올림하여 소수 둘째 자리까지 나타내어 보세요.

1.6 7

(0.23)

❖ 1.6÷7=0.228…… ➡ 0.23

15 나눗셈의 몫을 반올림하여 소수 첫째 자리까지 나타낸 값이 더 큰 것에 ○표 하세요.

9.7÷6   13.3÷9
(○)   (   )

❖ 9.7÷6=1.61…… ➡ 1.6, 13.3÷9=1.47…… ➡ 1.5
➡ 1.6>1.5

70 · Run-A 6-2

개념 6 나누어 주고 남는 양 알아보기

16 색 테이프 42.3 m를 한 사람에게 8 m씩 나누어 주려고 합니다. 나누어 줄 수 있는 사람 수와 남는 색 테이프의 길이는 몇 m인지 알아보려고 다음과 같이 계산했습니다. □ 안에 알맞은 수를 써넣으세요.

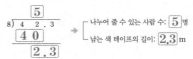

$$\begin{array}{r} 5 \\ 8{\overline{\smash{\big)}\,42.3}} \\ 40 \\ \hline 2.3 \end{array}$$
➡ 나누어 줄 수 있는 사람 수: 5명
남는 색 테이프의 길이: 2.3 m

17 나눗셈의 몫을 자연수 부분까지 구하여 ▢ 안에 쓰고 나머지를 ◯ 안에 써 보세요.

❖
$$\begin{array}{r} 3 \\ 2{\overline{\smash{\big)}\,6.3}} \\ 6 \\ \hline 0.3 \end{array}$$
$$\begin{array}{r} 1 \\ 4{\overline{\smash{\big)}\,6.3}} \\ 4 \\ \hline 2.3 \end{array}$$

18 밀가루 47.2 kg을 5 kg씩 봉지에 나누어 담으려고 합니다. 나누어 담을 수 있는 봉지 수와 남는 밀가루는 몇 kg인지 구해 보세요.

(9봉지), (2.2 kg)

❖
$$\begin{array}{r} 9 \\ 5{\overline{\smash{\big)}\,47.2}} \\ 45 \\ \hline 2.2 \end{array}$$
➡ 나누어 담을 수 있는 봉지 수
➡ 담은 밀가루의 양

2. 소수의 나눗셈 · 71

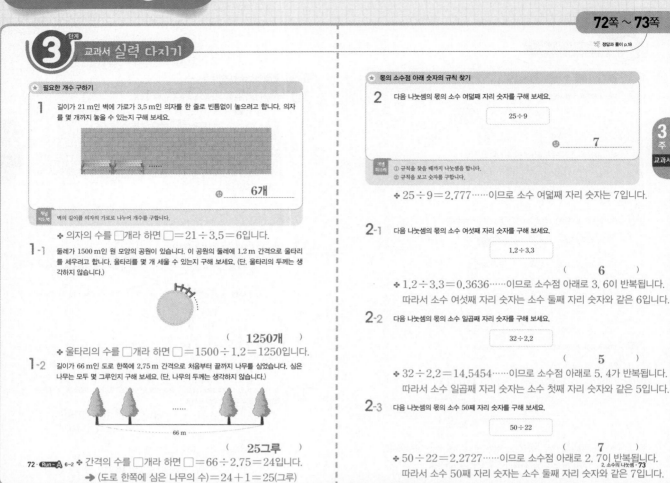

③ 단계 교과서 실력 다지기

★ 필요한 개수 구하기

1 길이가 21 m인 벽에 가로가 3.5 m인 의자를 한 줄로 빈틈없이 놓으려고 합니다. 의자를 몇 개까지 놓을 수 있는지 구해 보세요.

답 __6개__

개념 지도북 벽의 길이를 의자의 가로로 나누어 개수를 구합니다.

✧ 의자의 수를 □개라 하면 □=21÷3.5=6입니다.

1-1 둘레가 1500 m인 원 모양의 공원이 있습니다. 이 공원의 둘레에 1.2 m 간격으로 울타리를 세우려고 합니다. 울타리를 몇 개 세울 수 있는지 구해 보세요. (단, 울타리의 두께는 생각하지 않습니다.)

(__1250개__)

✧ 울타리의 수를 □개라 하면 □=1500÷1.2=1250입니다.

1-2 길이가 66 m인 도로 한쪽에 2.75 m 간격으로 처음부터 끝까지 나무를 심었습니다. 심은 나무는 모두 몇 그루인지 구해 보세요. (단, 나무의 두께는 생각하지 않습니다.)

66 m

(__25그루__)

72 · Run-Ⓐ 6-2 ✧ 간격의 수를 □개라 하면 □=66÷2.75=24입니다.

➜ (도로 한쪽에 심은 나무의 수)=24+1=25(그루)

★ 몫의 소수점 아래 숫자의 규칙 찾기

2 다음 나눗셈의 몫의 소수 여덟째 자리 숫자를 구해 보세요.

25÷9

답 __7__

개념 짚어보기 ① 규칙을 찾을 때까지 나눗셈을 합니다.
② 규칙을 보고 숫자를 구합니다.

✧ 25÷9=2.777……이므로 소수 여덟째 자리 숫자는 7입니다.

2-1 다음 나눗셈의 몫의 소수 여섯째 자리 숫자를 구해 보세요.

1.2÷3.3

(__6__)

✧ 1.2÷3.3=0.3636……이므로 소수점 아래로 3, 6이 반복됩니다.
따라서 소수 여섯째 자리 숫자는 소수 둘째 자리 숫자와 같은 6입니다.

2-2 다음 나눗셈의 몫의 소수 일곱째 자리 숫자를 구해 보세요.

32÷2.2

(__5__)

✧ 32÷2.2=14.5454……이므로 소수점 아래로 5, 4가 반복됩니다.
따라서 소수 일곱째 자리 숫자는 소수 첫째 자리 숫자와 같은 5입니다.

2-3 다음 나눗셈의 몫의 소수 50째 자리 숫자를 구해 보세요.

50÷22

(__7__)

✧ 50÷22=2.2727……이므로 소수점 아래로 2, 7이 반복됩니다.
따라서 소수 50째 자리 숫자는 소수 둘째 자리 숫자와 같은 7입니다.

2. 소수의 나눗셈 · 73

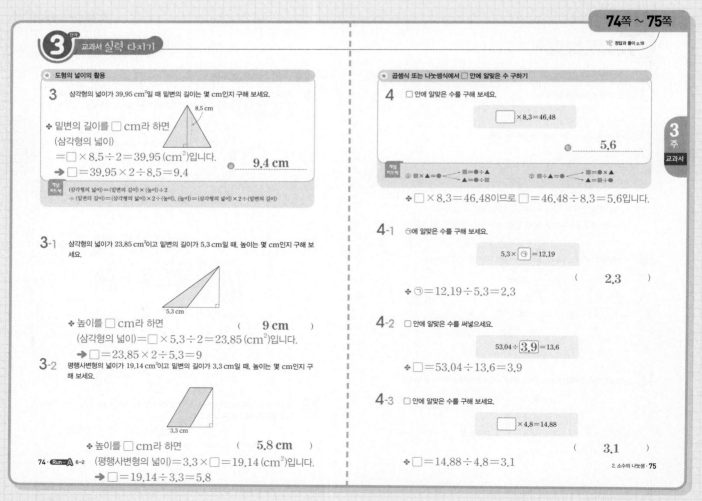

③ 단계 교과서 실력 다지기

★ 도형의 넓이의 활용

3 삼각형의 넓이가 39.95 cm²일 때 밑변의 길이는 몇 cm인지 구해 보세요.

8.5 cm

✧ 밑변의 길이를 □ cm라 하면
(삼각형의 넓이)
=□×8.5÷2=39.95 (cm²)입니다.

답 __9.4 cm__

➜ □=39.95×2÷8.5=9.4

개념 지도북 (삼각형의 넓이)=(밑변의 길이)×(높이)÷2
✧ (밑변의 길이)=(삼각형의 넓이)×2÷(높이), (높이)=(삼각형의 넓이)×2÷(밑변의 길이)

3-1 삼각형의 넓이가 23.85 cm²이고 밑변의 길이가 5.3 cm일 때, 높이는 몇 cm인지 구해 보세요.

5.3 cm

✧ 높이를 □ cm라 하면   (__9 cm__)
(삼각형의 넓이)=□×5.3÷2=23.85 (cm²)입니다.

➜ □=23.85×2÷5.3=9

3-2 평행사변형의 넓이가 19.14 cm²이고 밑변의 길이가 3.3 cm일 때, 높이는 몇 cm인지 구해 보세요.

3.3 cm

✧ 높이를 □ cm라 하면   (__5.8 cm__)
74 · Run-Ⓐ 6-2 (평행사변형의 넓이)=3.3×□=19.14 (cm²)입니다.

➜ □=19.14÷3.3=5.8

★ 곱셈식 또는 나눗셈식에서 □ 안에 알맞은 수 구하기

4 □ 안에 알맞은 수를 구해 보세요.

□×8.3=46.48

답 __5.6__

개념 지도북 ① ■×▲=● ➜ ■=●÷▲
▲=●÷■
② ■=▲×● ➜ ●=■÷▲
▲=■÷●

✧ □×8.3=46.48이므로 □=46.48÷8.3=5.6입니다.

4-1 ㉠에 알맞은 수를 구해 보세요.

5.3×㉠=12.19

(__2.3__)

✧ ㉠=12.19÷5.3=2.3

4-2 □ 안에 알맞은 수를 써넣으세요.

53.04÷|3.9|=13.6

✧ □=53.04÷13.6=3.9

4-3 □ 안에 알맞은 수를 구해 보세요.

□×4.8=14.88

(__3.1__)

✧ □=14.88÷4.8=3.1

2. 소수의 나눗셈 · 75

③단계 교과서 **실력 다지기**

정답과 풀이 p.19

★ 바르게 계산하기

5 어떤 수를 6.5로 나누어야 할 것을 잘못하여 5.2로 나누었더니 5가 되었습니다. 바르게 계산한 값을 구해 보세요.

답 **4**

개념 따라풀기
① 어떤 수를 □라 하고 잘못 계산한 식을 세웁니다.
② ①의 식을 이용하여 어떤 수를 구합니다.
③ 바르게 계산한 값을 구합니다.

❖ 어떤 수를 □라 하면 □÷5.2=5입니다.
➡ □=5×5.2=26
따라서 바르게 계산한 값은 26÷6.5=4입니다.

5-1 어떤 수를 2.4로 나누어야 할 것을 잘못하여 2.4를 곱했더니 17.28이 되었습니다. 바르게 계산한 값을 구해 보세요.

(**3**)

❖ 어떤 수를 □라 하면 □×2.4=17.28입니다.
➡ □=17.28÷2.4=7.2
따라서 바르게 계산한 값은 7.2÷2.4=3입니다.

5-2 2.4를 어떤 수로 나누어야 할 것을 잘못하여 어떤 수를 곱했더니 12가 되었습니다. 바르게 계산한 값을 구해 보세요.

(**0.48**)

❖ 어떤 수를 □라 하면 2.4×□=12입니다.
➡ □=12÷2.4=5
따라서 바르게 계산한 값은 2.4÷5=0.48입니다.

5-3 3.2를 어떤 수로 나누어야 할 것을 잘못하여 어떤 수를 곱했더니 5.12가 되었습니다. 바르게 계산한 값을 구해 보세요.

(**2**)

76 · Run-A 6-2
❖ 어떤 수를 □라 하면 □×3.2=5.12입니다.
➡ □=5.12÷3.2=1.6
따라서 바르게 계산한 값은 3.2÷1.6=2입니다.

★ 모두 나누어 담는 데 필요한 개수 구하기

6 보리쌀 17.4 kg을 주머니 1개에 3 kg씩 나누어 담으려고 합니다. 보리쌀을 모두 담으려면 주머니는 적어도 몇 개 필요한지 구해 보세요.

답 **6개**

개념 따라풀기
① 나눗셈식을 세웁니다.
② 몫을 자연수까지만 구합니다.
③ 구한 몫에 1을 더합니다.

❖
$$\begin{array}{r} 5 \\ 3\overline{\smash{\big)}\,1\ 7.4} \\ 1\ 5 \\ \hline 2.4 \end{array}$$

보리쌀을 주머니 5개에 담고 남는 보리쌀 2.4 kg도 주머니에 담아야 하므로 주머니는 적어도 5+1=6(개) 필요합니다.

6-1 끈 48.2 m를 상자 1개에 6 m씩 나누어 담으려고 합니다. 끈을 모두 담으려면 상자는 적어도 몇 개 필요한지 구해 보세요.

(**9개**)

❖
$$\begin{array}{r} 8 \\ 6\overline{\smash{\big)}\,4\ 8.2} \\ 4\ 8 \\ \hline 0.2 \end{array}$$

끈을 상자 8개에 담고 0.2 m가 남으므로 0.2 m도 담으려면 상자 1개가 더 필요합니다.
➡ 8+1=9(개)

6-2 참기름 13.4 L를 한 병에 2 L씩 나누어 담으려고 합니다. 참기름을 모두 담으려면 병은 적어도 몇 개 필요한지 구해 보세요.

(**7개**)

❖
$$\begin{array}{r} 6 \\ 2\overline{\smash{\big)}\,1\ 3.4} \\ 1\ 2 \\ \hline 1.4 \end{array}$$

참기름을 병 6개에 담고 1.4 L가 남으므로 1.4 L도 담으려면 병 1개가 더 필요합니다.
➡ 6+1=7(개)

2. 소수의 나눗셈 · **77**

Test 교과서 **서술형 연습**

정답과 풀이 p.19

1 영호는 일정한 빠르기로 1시간 30분 동안 4.95 km를 걸었습니다. 영호가 한 시간 동안 걸은 거리는 몇 km인지 구해 보세요.

✎ 구하려는 것, 주어진 것에 선을 그어 봅니다.

해결하기 1시간 30분을 몇 시간인지 소수로 나타내면
1시간 30분=1 $\frac{30}{60}$ 시간= **1.5** 시간입니다.
따라서 영호가 한 시간 동안 걸은 거리는
4.95÷ **1.5** = **3.3** (km)입니다.

답 구하기 **3.3 km**

2 오토바이가 일정한 빠르기로 2시간 15분 동안 92.25 km를 달렸습니다. 오토바이가 한 시간 동안 달린 거리는 몇 km인지 구해 보세요.

✎ 구하려는 것, 주어진 것에 선을 그어 봅니다.

해결하기 예 2시간 15분=2 $\frac{15}{60}$ 시간=2 $\frac{1}{4}$ 시간
=2.25시간
따라서 오토바이가 한 시간 동안 달린 거리는 92.25÷2.25=41 (km)입니다.

답 구하기 **41 km**

3 몫을 반올림하여 소수 첫째 자리까지 나타낸 값과 소수 둘째 자리까지 나타낸 값의 차를 구해 보세요.

1.4÷3

해결하기 1.4÷3=0.466……입니다.
몫을 반올림하여 소수 첫째 자리까지 나타내면 **0.5**입니다.
몫을 반올림하여 소수 둘째 자리까지 나타내면 **0.47**입니다.
따라서 차는 **0.5**- **0.47** = **0.03**입니다.

답 구하기 **0.03**

4 몫을 반올림하여 소수 첫째 자리까지 나타낸 값과 소수 둘째 자리까지 나타낸 값의 합을 구해 보세요.

27.5÷7

해결하기 예 27.5÷7=3.928……입니다.
몫을 반올림하여 소수 첫째 자리까지 나타내면 3.9입니다. 몫을 반올림하여 소수 둘째 자리까지 나타내면 3.93입니다.
따라서 합은 3.9+3.93=7.83입니다.

답 구하기 **7.83**

78 · Run-A 6-2

2. 소수의 나눗셈 · **79**

PLAY 사고력 개념 스토리 저렴한 가게 찾기

같은 종류의 물건을 파는 이웃한 두 가게 중 1 kg의 가격이 더 저렴한 가게에 붙임딱지를 붙여 보세요.

4주
사고력

0.52 kg에
910원

0.46 kg에
690원

1.65 kg에
3300원

1.8 kg에
3240원

❖ 910 ÷ 0.52 = 1750(원)

❖ 690 ÷ 0.46 = 1500(원)

❖ 3300 ÷ 1.65 = 2000(원)

❖ 3240 ÷ 1.8 = 1800(원)

0.92 kg에
1380원

0.88 kg에
1100원

❖ 1380 ÷ 0.92 = 1500(원)

❖ 1100 ÷ 0.88 = 1250(원)

0.6 kg에
1050원

1.2 kg에
2160원

❖ 1050 ÷ 0.6 = 1750(원)

❖ 2160 ÷ 1.2 = 1800(원)

고기

1.7 kg에
8160원

2.45 kg에
12250원

❖ 8160 ÷ 1.7 = 4800(원)

❖ 12250 ÷ 2.45 = 5000(원)

PLAY 사고력 개념 스토리 기둥 세우기

농장의 동물들이 나가지 못하도록 울타리를 세우려고 합니다.
필요한 기둥의 개수만큼 울타리에 기둥 붙임딱지를 붙여 보세요.

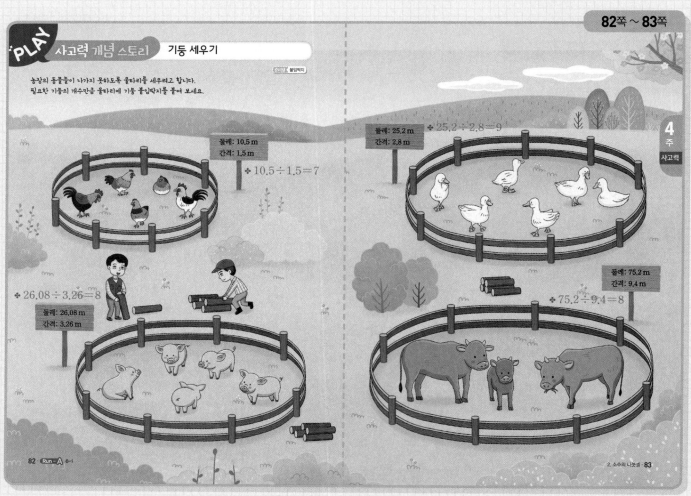

4주
사고력

둘레: 10.5 m
간격: 1.5 m

❖ 10.5 ÷ 1.5 = 7

둘레: 25.2 m
간격: 2.8 m

❖ 25.2 ÷ 2.8 = 9

둘레: 26.08 m
간격: 3.26 m

❖ 26.08 ÷ 3.26 = 8

둘레: 75.2 m
간격: 9.4 m

❖ 75.2 ÷ 9.4 = 8

교과 사고력 잡기

정답과 풀이 p.21

1 연우는 둘레가 18 cm이고 넓이가 27 cm²인 정오각형 모양의 쿠키를 만들어 5등분하였습니다. 정오각형의 한 변이 삼각형의 밑변일 때 삼각형의 높이는 몇 cm인지 구해 보세요.

① 정오각형의 둘레를 이용하여 삼각형의 한 변의 길이를 구해 보세요.

(**3.6 cm**)

❖ 18÷5=3.6(cm)

② 정오각형의 넓이를 이용하여 삼각형의 넓이를 구해 보세요.

(**5.4 cm²**)

❖ 27÷5=5.4(cm²)

③ ①에서 구한 길이가 삼각형의 밑변의 길이일 때 삼각형의 높이를 구해 보세요.

(**3 cm**)

❖ 삼각형의 높이를 □cm라 하면 3.6×□÷2=5.4입니다.
➜ □=5.4×2÷3.6=10.8÷3.6=3

---

2 동호는 길이가 6.84 m인 나무 막대를 76 cm씩 자르고, 민수는 길이가 4.16 m인 나무 막대를 52 cm씩 잘랐습니다. 나무토막의 수가 더 많은 사람은 누구인지 알아보세요.

6.84 m   4.16 m

① 76 cm와 52 cm는 각각 몇 m인지 구해 보세요.

(**0.76 m**), (**0.52 m**)

❖ 1 m=100 cm이므로 76 cm는 0.76 m이고, 52 cm는 0.52 m입니다.

② 나무 막대 6.84 m를 76 cm씩 자르면 모두 몇 토막이 나오는지 구해 보세요.

(**9토막**)

❖ 6.84÷0.76=$\frac{684}{100}$÷$\frac{76}{100}$=684÷76=9(토막)

③ 나무 막대 4.16 m를 52 cm씩 자르면 모두 몇 토막이 나오는지 구해 보세요.

(**8토막**)

❖ 4.16÷0.52=$\frac{416}{100}$÷$\frac{52}{100}$=416÷52=8(토막)

④ 나무토막의 수가 더 많은 사람은 누구인지 써 보세요.

(**동호**)

❖ 9>8이므로 나무토막의 수가 더 많은 사람은 동호입니다.

교과 사고력 잡기

정답과 풀이 p.21

3 보영이는 한 시간에 2.7 km씩 걷는다고 합니다. 보영이가 집에서 할머니 댁까지 걸어서 다녀오는 데 걸리는 시간은 몇 시간 몇 분인지 구해 보세요.

3.375 km

① 보영이가 할머니 댁에 다녀오는 거리는 몇 km인지 구해 보세요.

(**6.75 km**)

❖ 3.375×2=6.75(km)

② 보영이가 할머니 댁에 다녀오는 데 걸리는 시간은 몇 시간인지 소수로 나타내어 보세요.

(**2.5시간**)

❖ 6.75÷2.7=67.5÷27=2.5(시간)

③ ②에서 구한 시간은 몇 시간 몇 분인지 구해 보세요.

(**2시간 30분**)

❖ 2.5시간=2$\frac{5}{10}$시간=2$\frac{30}{60}$시간=2시간 30분

---

4 과일 가게에서 사과 바구니와 감 바구니를 각각 6000원에 팔고 있습니다. 사과와 감 중 1개의 가격이 더 비싼 과일은 무엇인지 알아보세요. (단, 바구니만의 무게는 생각하지 않습니다.)

사과 1개의 무게는 0.34 kg이고 사과 바구니의 무게는 1.36 kg입니다.

감 1개의 무게는 0.43 kg이고 감 바구니의 무게는 2.58 kg입니다.

현서   은주

① 사과 바구니에 들어 있는 사과의 개수를 구해 보세요.

(**4개**)

❖ (사과의 수)=1.36÷0.34=4(개)

② 사과 1개의 가격을 구해 보세요.

(**1500원**)

❖ (사과 1개의 가격)=6000÷4=1500(원)

③ 감 바구니에 들어 있는 감의 개수를 구해 보세요.

(**6개**)

❖ (감의 수)=2.58÷0.43=6(개)

④ 감 1개의 가격을 구해 보세요.

(**1000원**)

❖ (감 1개의 가격)=6000÷6=1000(원)

⑤ 사과와 감 중 1개의 가격이 더 비싼 과일을 써 보세요.

(**사과**)

❖ 1500>1000이므로 더 비싼 과일은 사과입니다.

2단계 교과 사고력 확장

1 보기와 같이 ◯ 안의 수를 주어진 방법으로 계산한 결과를 △ 안에 써넣으세요.

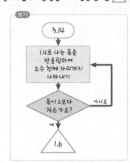

보기

3.14

1.4로 나눈 몫을 반올림하여 소수 첫째 자리까지 나타내기

몫이 2보다 작은가요?

아니요 / 예

1.6

÷ $3.14 \div 1.4 = 2.24 \cdots \rightarrow 2.2$, $2.2 \div 1.4 = 1.57 \cdots \rightarrow 1.6$

❶
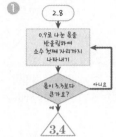

2.8

0.9로 나눈 몫을 반올림하여 소수 첫째 자리까지 나타내기

몫이 3.3보다 큰가요?

아니요 / 예

3.4

÷ $2.8 \div 0.9 = 3.11 \cdots \rightarrow 3.1$
$3.1 \div 0.9 = 3.44 \cdots \rightarrow 3.4$

❷

6.28

1.7로 나눈 몫을 반올림하여 소수 둘째 자리까지 나타내기

몫이 2보다 작은가요?

아니요 / 예

1.28

÷ $6.28 \div 1.7 = 3.694 \cdots \rightarrow 3.69$
$3.69 \div 1.7 = 2.170 \cdots \rightarrow 2.17$
$2.17 \div 1.7 = 1.276 \cdots \rightarrow 1.28$

2 기호 ⊙에 대하여 '가⊙나=(가÷나)÷가'라고 약속할 때 다음을 계산해 보세요.

❶ 22.5 ⊙ 0.5

(**2**)

÷ $22.5 \odot 0.5 = (22.5 \div 0.5) \div 22.5 = 45 \div 22.5$
$= 450 \div 225 = 2$

❷ 80 ⊙ 1.25

(**0.8**)

÷ $80 \odot 1.25 = (80 \div 1.25) \div 80 = 64 \div 80 = 0.8$

3 기호 ◈에 대하여 '가◈나=(가+나)÷(가-나)'라고 약속할 때 다음을 계산해 보세요.

❶ 42.35 ◈ 30.25

(**6**)

÷ $42.35 \diamondsuit 30.25 = (42.35 + 30.25) \div (42.35 - 30.25)$
$= 72.6 \div 12.1 = 6$

❷ 15.42 ◈ 14.82

(**50.4**)

÷ $15.42 \diamondsuit 14.82 = (15.42 + 14.82) \div (15.42 - 14.82)$
$= 30.24 \div 0.6 = 50.4$

2단계 교과 사고력 확장

4 세 정육점에서 소고기를 다른 가격으로 팔고 있습니다. 세 정육점 중 소고기 1 kg의 가격이 가장 저렴한 곳은 어디인지 구해 보세요.

❶ 가 정육점의 소고기 1 kg의 가격을 구해 보세요.

(**18000원**)

÷ $8100 \div 0.45 = \dfrac{810000}{100} \div \dfrac{45}{100}$
$= 810000 \div 45 = 18000(원)$

❷ 나 정육점의 소고기 1 kg의 가격을 구해 보세요.

(**16000원**)

÷ $9600 \div 0.6 = \dfrac{96000}{10} \div \dfrac{6}{10}$
$= 96000 \div 6 = 16000(원)$

❸ 다 정육점의 소고기 1 kg의 가격을 구해 보세요.

(**15000원**)

÷ $8400 \div 0.56 = \dfrac{840000}{100} \div \dfrac{56}{100}$
$= 840000 \div 56 = 15000(원)$

❹ 소고기 1 kg의 가격이 가장 저렴한 곳은 어디인지 써 보세요.

(**다 정육점**)

÷ 18000 > 16000 > 15000이므로 다 정육점이 가장 저렴합니다.

5 규칙을 찾아 ㉠과 ㉡에 알맞은 수를 각각 구해 보세요.

| 20.25 | 13.5 | 9 | ㉠ | ㉡ |

❶ 규칙을 찾아 써 보세요.

규칙 예 뒤의 수는 앞의 수를 1.5로 나눈 몫입니다.

÷ $20.25 \div 1.5 = 13.5$, $13.5 \div 1.5 = 9$

❷ ㉠과 ㉡에 알맞은 수를 각각 구해 보세요.

㉠ (**6**)
㉡ (**4**)

÷ $9 \div 1.5 = \dfrac{90}{10} \div \dfrac{15}{10} = 90 \div 15 = 6$
$6 \div 1.5 = \dfrac{60}{10} \div \dfrac{15}{10} = 60 \div 15 = 4$

6 규칙을 찾아 ♥에 알맞은 수를 구해 보세요.

❶ 규칙을 찾아 써 보세요.

규칙 예 아랫줄 양쪽 끝의 두 수의 합을 윗줄의 수로 나눈 몫을 쓰는 규칙입니다.

÷ $4 + 5 = 9 \rightarrow 9 \div 4.5 = 2$, $5.6 + 2.1 = 7.7 \rightarrow 7.7 \div 0.7 = 11$,
$10 + 7.5 = 17.5 \rightarrow 17.5 \div 2.5 = 7$

❷ ♥에 알맞은 수를 구해 보세요.

(**3.1**)

÷ $3 + 0.72 = 3.72 \rightarrow 3.72 \div 1.2 = 3.1$

③ 교과 사고력 완성

정답과 풀이 p.23

1 지구의 반지름을 1이라고 보았을 때 태양과 각 행성의 반지름을 나타낸 것입니다. 해왕성의 반지름을 1이라고 본다면 토성의 반지름은 얼마인지 반올림하여 소수 첫째 자리까지 나타내어 보세요.

행성	반지름	행성	반지름	행성	반지름
태양	109	지구	1	토성	9.4
수성	0.4	화성	0.5	천왕성	4
금성	0.9	목성	11.2	해왕성	3.9

(**2.4**)

✧ 토성의 반지름을 해왕성의 반지름으로 나누어야 합니다.
(토성의 반지름)$=9.4 \div 3.9 = 2.41 \cdots$ ➔ 2.4

2 길이가 20 cm인 양초가 있습니다. 이 양초는 10분에 1.5 cm씩 일정한 빠르기로 탈 때 남은 양초의 길이가 14 cm라면 양초에 불을 붙인 지 몇 분이 지난 것인지 구해 보세요.

 ?분 후
20 cm   14 cm

(**40분**)

✧ 양초는 1분에 $1.5 \div 10 = 0.15$ (cm)씩 탑니다.
탄 양초의 길이는 $20 - 14 = 6$ (cm)이므로 불을 붙인 지
$6 \div 0.15 = \dfrac{600}{100} \div \dfrac{15}{100} = 600 \div 15 = 40$(분) 후입니다.

92 · Run-A 6-1

3 한 변의 길이가 4.5 m인 정사각형 모양의 꽃밭이 있습니다. 이 꽃밭의 세로를 3 m 줄여서 직사각형 모양을 만든다면 가로는 몇 m 늘여야 처음 꽃밭의 넓이와 같게 되는지 구해 보세요.

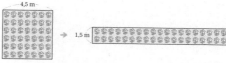

(**9 m**)

✧ (정사각형의 넓이)$=4.5 \times 4.5 = 20.25$ (m²)
(직사각형의 넓이)=(가로)×(세로)=(가로)×1.5$=20.25$ (m²)
➔ (가로)$=20.25 \div 1.5 = 2025 \div 150 = 13.5$ (m)
따라서 가로는 $13.5 - 4.5 = 9$ (m) 늘여야 합니다.

4 대화를 보고 물의 양을 구해 보세요.

 물을 한 사람에게 5 L씩 나누어 주면 남는 물의 양은 0.8 L입니다.

 물을 한 사람에게 4 L씩 나누어 주면 남는 물의 양은 3.8 L입니다.

 물의 양은 30 L 이상 40 L 이하입니다.

강호   민기   준우

(**35.8 L**)

✧ 사람 수는 자연수이므로 물의 양의 소수 첫째 자리 숫자는 8입니다.
한 사람에게 5 L씩 나누어 주었을 때 남는 물의 양이 0.8 L가 되는 경우는
30.8 L, 35.8 L입니다.
한 사람에게 4 L씩 나누어 주었을 때 남는 물의 양이 3.8 L가 되는 경우는
31.8 L, 35.8 L, 39.8 L입니다.
따라서 조건을 만족하는 물의 양은 35.8 L입니다.

2. 소수의 나눗셈 · 93

Test 종합평가   2. 소수의 나눗셈

맞은 개수

정답과 풀이 p.23

1 ☐ 안에 알맞은 수를 써넣으세요.

$315 \div 9 = \boxed{35}$
$31.5 \div 0.9 = \boxed{35}$
$3.15 \div 0.09 = \boxed{35}$

✧ $31.5 \div 0.9$와 $3.15 \div 0.09$의 나누는 수와 나누어지는 수에 똑같이 10배, 100배를 하면 $315 \div 9$의 몫과 같습니다.

2 계산해 보세요.

(1)
```
        3.1
2.9)8 9 9
    8 7
    2 9
    2 9
      0
```

(2)
```
        25
9.6)2 4 0
```
```
          2 5
9.6)2 4 0 0.0
    1 9 2
      4 8 0
      4 8 0
          0
```

✧ 나누는 수와 나누어지는 수의 소수점을 똑같이 옮겨서 계산합니다.

3 보기 와 같이 분수의 나눗셈으로 바꾸어 계산해 보세요.

 보기
$7.29 \div 0.09 = \dfrac{729}{100} \div \dfrac{9}{100} = 729 \div 9 = 81$

$1.56 \div 0.06 = \dfrac{156}{100} \div \dfrac{6}{100} = 156 \div 6 = 26$

✧ 소수 두 자리 수는 분모가 100인 분수로 바꾸어 계산합니다.

4 ☐ 안에 알맞은 수를 써넣으세요.

$9 \div 2.25 = \dfrac{\boxed{900}}{100} \div \dfrac{\boxed{225}}{100} = \boxed{900} \div \boxed{225} = \boxed{4}$

94 · Run-A 6-1 ✧ 분모가 100인 분수의 나눗셈으로 바꾸어 계산합니다.

5 귤 15.1 kg을 한 사람에게 3 kg씩 나누어 줄 때 나누어 줄 수 있는 사람 수와 남는 귤의 양을 구해 보세요.

(**5명**), (**0.1 kg**)

✧
```
      5  → 나누어 줄 수 있는 사람 수
3)1 5.1
  1 5
  0.1  → 남는 귤의 양
```

6 큰 수를 작은 수로 나눈 몫을 구해 보세요.

| 2.7 | 3.51 |

(**1.3**)

✧ $3.51 > 2.7$이므로 $3.51 \div 2.7 = 1.3$입니다.

7 잘못 계산한 곳을 찾아 바르게 계산해 보세요.

```
      0.5
2.8)1 4
    1 4 0
        0
```
➔
```
        5
2.8)1 4
    1 4 0
        0
```

✧ 소수점을 옮겨서 계산하는 경우 몫의 소수점은 옮긴 위치에 찍어야 합니다.

8 계산 결과를 비교하여 ○ 안에 >, =, <를 알맞게 써넣으세요.

| 78.12 ÷ 9.3 | $<$ | 31.45 ÷ 3.7 |

✧ $78.12 \div 9.3 = 8.4$, $31.45 \div 3.7 = 8.5$
➔ $8.4 < 8.5$

2. 소수의 나눗셈 · 95

정답과 풀이 · **23**

Test 종합평가 2. 소수의 나눗셈

정답과 풀이 p.24

9 준호의 몸무게는 32.5 kg이고 아빠의 몸무게는 65 kg입니다. 아빠의 몸무게는 준호의 몸무게의 몇 배인지 구해 보세요.

(**2배**)

❖ 65÷32.5=2(배)

10 참기름 47.2 L를 병 한 개에 5.9 L씩 담으려고 합니다. 필요한 병은 몇 개인지 식을 쓰고 답을 구해 보세요.

식 $47.2÷5.9=8$

답 **8개**

11 □ 안에 알맞은 수를 구해 보세요.

$5÷□=1.25$

(**4**)

❖ 5÷□=1.25

➡ □=5÷1.25=4

12 어떤 수를 1.2로 나누어야 할 것을 잘못하여 1.2를 곱했더니 7.2가 되었습니다. 바르게 계산한 값을 구해 보세요.

(**5**)

❖ 어떤 수를 □라 하면 잘못 계산한 식은 □×1.2=7.2이므로

□=7.2÷1.2=6입니다.

따라서 바르게 계산하면 6÷1.2=5입니다.

96 · Run- A 6-1

13 넓이가 12.72 m²이고 밑변의 길이가 5.3 m인 평행사변형이 있습니다. 이 평행사변형의 높이는 몇 m인지 구해 보세요.

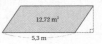

(**2.4 m**)

❖ (평행사변형의 넓이)=(밑변의 길이)×(높이)

➡ (높이)=(넓이)÷(밑변의 길이)

➡ 12.72÷5.3=2.4 (m)

14 사과 285.24 kg을 한 상자에 12 kg씩 담으려고 합니다. 사과를 모두 담으려면 상자는 적어도 몇 개 필요한지 구해 보세요.

(**24개**)

❖
$$\begin{array}{r} 2\ 3 \\ 12\overline{)2\ 8\ 5.2\ 4} \\ 2\ 4 \\ \hline 4\ 5 \\ 3\ 6 \\ \hline 9.2\ 4 \end{array}$$

사과를 한 상자에 12 kg씩 상자 23개에 담고 9.24 kg이 남으므로 9.24 kg도 상자에 담으려면 상자는 23+1=24(개)가 필요합니다.

15 계산 결과를 비교하여 ○ 안에 >, =, <를 알맞게 써넣으세요.

| 16÷7의 몫을 반올림하여 소수 첫째 자리까지 나타낸 수 | > | 16÷7 |

❖ 16÷7=2.28······

몫의 소수 둘째 자리 숫자가 8이므로 올립니다.

따라서 16÷7의 몫을 반올림하여 소수 첫째 자리까지 나타낸 수는 16÷7보다 큽니다.

2. 소수의 나눗셈 · 97

4 주 평가

Test 종합평가 2. 소수의 나눗셈

정답과 풀이 p.24

16 나눗셈의 몫을 반올림하여 소수 첫째 자리까지 나타낸 수를 ㉠, 소수 둘째 자리까지 나타낸 수를 ㉡이라고 할 때, ㉠과 ㉡의 차를 구해 보세요.

$8.57÷3.6$

(**0.02**)

❖ 8.57÷3.6=2.380······

㉠=2.4, ㉡=2.38

➡ 2.4-2.38=0.02

17 광석이는 한 시간에 3.5 km씩 걷는다고 합니다. 광석이가 집에서 할머니 댁까지 걸어서 다녀오는 데 걸리는 시간은 몇 시간 몇 분인지 구해 보세요.

광석이네 집 ···· 2.45 km ···· 할머니 댁

(**1시간 24분**)

❖ 광석이가 할머니 댁에 다녀오는 거리는

2.45×2=4.9 (km)입니다.

(광석이가 할머니 댁에 다녀오는 시간)=4.9÷3.5=1.4(시간)

➡ 1.4시간=$1\frac{4}{10}$시간=$1\frac{24}{60}$시간=1시간 24분

18 길이가 25 cm인 양초가 있습니다. 이 양초는 4분에 2 cm 일정한 빠르기로 탈 때 남은 양초의 길이가 12 cm라면 양초에 불을 붙인 지 몇 분이 지난 것인지 구해 보세요.

 25 cm ?분 후 12 cm

(**26분**)

❖ 양초는 1분에 2÷4=0.5 (cm)씩 탑니다.

탄 양초의 길이는 25-12=13 (cm)이므로 불을 붙인 지

98 · Run- A 6-1

$13÷0.5=\frac{130}{10}÷\frac{5}{10}=130÷5=26$(분) 후입니다.

특강 창의·융합 사고력

정답과 풀이 p.24

1 번개가 친 곳에서 떨어진 곳에서는 번개가 치고 시간이 지나야 천둥소리를 들을 수 있습니다. 소리가 1초에 0.34 km를 갈 때 물음에 답하세요.

번개가 친 곳에서 멀수록 천둥소리를 늦게 들어요.

1.02 km 연희

2.38 km 지수

(1) 연희가 있는 곳은 번개가 친 곳에서 1.02 km 떨어진 곳입니다. 연희가 번개를 보고 몇 초 후에 천둥소리를 듣게 되는지 구해 보세요.

(**3초**)

❖ $1.02÷0.34=\frac{102}{100}÷\frac{34}{100}=102÷34=3$(초)

(2) 지수가 있는 곳은 번개가 친 곳에서 2.38 km 떨어진 곳입니다. 지수가 번개를 보고 몇 초 후에 천둥소리를 듣게 되는지 구해 보세요.

(**7초**)

❖ $2.38÷0.34=\frac{238}{100}÷\frac{34}{100}=238÷34=7$(초)

2. 소수의 나눗셈 · 99

4 주 평가

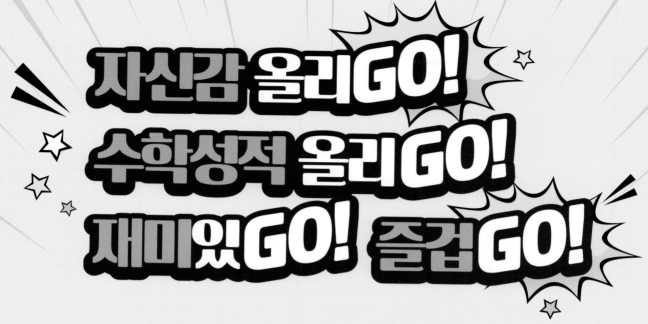

우리는 〈교과서+사고력〉으로 수학을 신나게 공부해요!

GO! 매쓰

자세한 문의는 ◯◯◯ - ◯◯◯◯ - ◯◯◯◯

천재교육

수학 **6**-2

정답과 풀이

Jump

유형 사고력

Run

교과서 사고력

Start

교과서 개념